어게인
별똥별

출구 없는 절망은 없다

어게인 별똥별

박윤우 글

글라이더

안녕, 우주소년!

너를 만나고 또 헤어진 지 벌써 강산이 두 번이나 변했구나.
 밝고 부드러운 소년이었지만 그 시절 고민 많았던 너를 기억
한다.
 슬프고 버거운 일을 혼자 견디고 있었지.
 하늘을 바라보며 나누던 우리의 대화는 늘 새로운 세상이었다.
 우리에겐 사랑하는 별이 있고 우주에서 뛰노는 꿈이 있었어.
 너의 아픔을 모른 채 난 행복하게 지낼 수 있었던 것 같다.
 '더 오래 함께 지낼 순 없었을까?',
 '무엇이 너를 막다른 골목으로 몰아넣은 걸까?'
 넌 오랫동안 내 질문의 시작이었고 답이기도 했어.

너를 기억하고 생각하는 동안 오로지 한쪽 길로만 달리도록 조련된 무수한 아이들을 만나고 이야기를 나누게 되었단다.

지금 내 곁에 네가 살아 있다면 아마도 이런 모습이 아닐까 생각하며 이 글을 썼어.

해 주고 싶은 말이었으나 오랫동안 맘속에 담아두고 있던 이 글을 세상에 내놓는다.

샘이 주는 선물이라고 생각해 주었으면 해.

네가 이 땅에 대한 마음을 닫아걸고 하늘로 향하는 동안 무관심하고 무책임했던 어른들을 용서해 주렴.

나는 이 글을 쓰면서 '이야기'의 본질에 대해 생각을 해 보았는데 '생명'과 '희망'이라는 것을 알게 되었어.

고사목에 올망졸망 매달린 버섯을 기억한다. 그 수많은 삶의 길을 생각하고 있단다.

이제 우리들이 설렘과 기쁨의 그 길을 찾아야겠다고 다짐한다.

※부족한 원고를 책으로 엮어 주신 글라이더 박정화 대표님과 편집부에 감사드립니다.

글쓴이 박윤우

차례

작가의 말 · 4

1. 세 번째 전학생 · 9

2. 허스키 보이스 · 25

3. 또래 상담 우체통 · 38

4. 사과할 기회 · 63

5. 우주소년을 위한 팁 · 75

6. 선정의 별똥별 카페 · 82

7. 유리가 꿈꾸는 프리허그 · 95

8. 선정, 유성비를 만나다 · 113

9. 제주도 여행 · 140

10. 에블린 글레니의 마림바 · 151

11. 불의 냄새를 맡다 · 182

12. 에필로그 · 198

1

세 번째 전학생

　학교 교문을 지나 산등성이를 내려갈 무렵 바람이 흘러 지나갔
다. 고소한 저녁밥 냄새가 실려 있었다. 정성이 깃든 밥이다. 고등
학교에 입학하면서부터는 한 번도 편하게 저녁밥을 먹은 적이 없
었다. 학교 식당 아니면 분식집에서 급하게 요기를 하고 헐레벌떡
청심당으로 돌아가야만 했기 때문이다.

　"그 새끼, 모의고사는 몇 점이나 나올까?"

　나는 코를 벌름거리며 말했다. 눈물 쏙 빠지게 매운 '상어떡볶
이' 냄새가 올라오고 있었다. 상어떡볶이는 캡사이신을 들이붓는
지 다른 떡볶이집에 비해 특별히 매웠다. 코끝과 귀 뒤까지 얼얼할
정도였다. 오늘도 가게 앞에서 컵을 들고 눈물을 짜고 있는 아이들
이 보였다. 냄새에 자극받은 위장은 꼬르륵 소리를 냈다.

"설마 만점?"

애라의 말에 나는 흥분해서 쇳소리를 내고 말았다.

"만점? 말도 안 되는 소리! 내신을 잡으려고 우리 학교에 올 정도면 모의고사 성적이 잘 안 나오는 게지!"

내가 말을 마치기도 전에 애라는 기지개를 켜면서 말했다.

"밥맛!"

"그래서 쓰나. 이럴수록 기운을 내야지, 친구!"

나는 아무렇지 않은 척 애라를 달랬다.

"넌, 어디서 그런 에너지가 나오냐? 니 장딴지살은 그냥 살이 아닌 게야. 에너지살이라 불러 주마."

"놀리는 거임? 나, 단순 무뇌아 아니거든. 우리 등급 떨어지는 소리가 천둥소리 같다고."

"넌 기분전환이 잘 되잖아. 난 언제까지 울증이 계속될지 모르겠어."

애라는 안경 코를 올리며 말했다.

"야, 나도 인생이 쉽지 않았어."

나는 눈을 내리깔고 어깨를 으쓱한다.

"도사님, 나 대학 떨어지면 내 인생 좀 부탁합니당."

내가 대답을 안 하자 "알았냐구, 엉?" 하며 애라는 얼굴을 들이밀었다.

"나 살기도 바쁜데……."

"뭐야?"

"힘이 남아 있으면 책임질게."

"너만 믿는다. 그래도 되지?"

"오케바리."

애라가 머리끈을 잡아당겨 똥머리를 좌르륵 풀어 버렸다. 까맣고 숱이 많은 머리카락들이 물결처럼 출렁거렸다. 기분 좋은 샴푸 냄새.

"아, 씨. 한 명만 제치면 안정권인데, 하필 이 시점에 외고 다니던 새끼가 전학을 오냐고. 이거 하늘의 저주 아니겠니?"

나는 애라의 어깨를 감싸 안으며 어깨동무를 했다.

"그러니까 제발 그 엄친아 놈이 불치병에 걸리게 해 주세요 하고 소망탑에 빌잔 말이야. 갑자기 사고를, 특히 뇌 쪽을 다치게 해주세요. 응, 어때?"

소망탑은 학교 앞 버스 정류장 근처에 있는 돌무더기였다. 시내버스가 자주 오지 않아 한두 개 쌓기 시작한 자잘한 우리의 돌들이 어느덧 봉긋한 돌무더기를 이루었고 그 돌 하나하나에는 다채로운 욕망들이 차곡차곡 쌓이게 되었다.

애라가 머리를 다시 틀어 묶으며 말했다.

"되겠냐?"

"몰라!"

세 번째 외고 전학생이 온다는 이야기를 애라와 나는 내신 등급 때문에 노심초사하고 있었다. 이전에 전학 온 외고생들이 1등급을 도맡아 하고 있는 마당에 또 다른 빠꼼이가 줄에 끼어든 것이다.

애라가 모아진 손을 풀고 물었다.

"너 진짜 빌었어?"

"당근이지. 넌?"

나도 모르게 한쪽 입꼬리가 올라갔다.

"난, 플러스 알파."

애라가 주먹으로 콩콩 내 팔뚝을 치고는 "내일 아침 기대된다!"라고 말했다. 꿀꿀한 기분이 한결 풀린 것 같았다.

우리는 시내버스를 타고 여섯 정거장쯤 떨어진 시내 번화가로 향했다. 어둠이 내리고 있는 전철역 주변에는 야자와 상관없이 사는 우리 학교 양아치 애들이 돌아다니고 있었다. 교복 조끼 아래로 셔츠를 꺼내 입거나 심지어 깃을 세우고 다리 한쪽은 걷어 올린 아이들도 있었고 치마 아래 체육복 바지를 입고 실내화를 끌며 돌아다니는 애들도 있었다. 학주 샘에게 걸리면 모두 벌점 처리될 문제아들이다. 여자애들은 원래 생얼을 알아볼 수 없을 만큼 짙은 화장을 하고 있었는데 아이들이 저만치서 먼저 애라를 알아보고 다른 쪽으로 도망을 치거나 어쩔 수 없이 고개를 숙여 인사를 하기도 했다. 애라는 고3 오빠 대신 새로 뽑힌 선도부장이었기 때문에 그 아이들이 벌벌 떠는 건 당연했다. 복장이나 행동에서 애라에게 걸리면 곧장 학생주임 샘에게 불려가야 했기 때문이다.

아이들은 목청껏 떠들고 웃고 있긴 하지만 이런 어스름 때 찾아오는 내면의 헛헛함을 느낄 수가 있었다. 수시에서 학교장 추천을 노리고 있는 나도 이렇게 맘을 못 잡겠는데 학교에서조차 관심 꺼 버린 아이들이라면 어떤 마음일지 알 것 같았다.

같은 학교 아이들이 인사를 하는데도 애라는 눈을 내리깔고 보도블록만 보았다. 기분은 여전히 우울해 보였다.

"어디 갈래?"

나는 주위를 두리번거리며 애라에게 물었다.

"서점이나 독서실 빼고."

'계집애, 현자타임에 제대로 걸렸구나.'

길 건너 다이소에 불이 환하게 켜 있었다. 거기라면 두세 시간 동안 현자타임의 마법을 풀 수 있을 것 같았다.

애라와 나는 바구니를 들고 매장 안을 돌기 시작했다. 앞서거니 뒤서거니 걷다가 어느새 여섯 걸음쯤 앞뒤로 다른 물건들을 훑으며 걸어 다녔다. 애라는 포장지와 구김지 스타핑, 리본끈을 만지작거리며 시간을 보내고 있었다. 바구니에는 엄지손가락만 한 찰흙 인형들과 매직 스티커들이 잔뜩 들어 있었다. 나는 종이 가방과 휴대용 향수를 골랐다. 바구니 안에는 어느새 사소하고 또 그닥 필요치 않은 다양한 잡화들이 차곡차곡 쌓였다. 한 층을 다 돌고 나면 서로의 바구니를 들여다보며 우리에게 무엇이 필요한 건지 확인 작업에 들어갔다. 그리고 아무렇지도 않게 제자리에 가져다 놓았다. 제자리에 놓으면서 옆자리에 어수선하게 놓여 있던 못난이 인형들도 다시 자리를 잡아 주고 뒤섞여 있던 포장지도 색깔 맞춰 정리를 했다.

"정리를 왜 하고 있어, 곰탱아!"

애라가 어이없다는 표정을 지으며 말했다.

"내 맘이야."

제대로 놓이지 않는 것들을 보면 나도 모르게 손이 간다.

3층 매장까지 다 돌고 나자 나는 애라가 어떤 상태인지 알 것 같았다. 애라가 꺼낸 물건들은 색조 화장품과 캐릭터 인형들, 수면용 귀마개, 수면 안대였다. 쉬고 싶은 애라의 마음이 읽혔다. 나는 머플러와 형광펜, 그리고 다양한 먹거리를 샀다.

"웬 머플러?"

애라는 눈을 동그랗게 뜨고 내가 고른 머플러를 들어 보였다. 칙칙하고 볼품없는 것이었다.

"심심할 때 하려고."

"심심할 때가 있냐? 용도가 진짜 궁금하다."

"뭔 용도? 우아하게 머플러 좀 하면 안 돼?"

"우아하곤 담쌓은 색깔인데."

웃음 끝에 삑 쇳소리가 튀어나온다. 내 별명은 '허스키'. 조용조용 말할 때는 덜하지만 목소리를 높일 때나 웃을 때 꽥꽥거리는 탓에 붙여진 별명이다. 이상하게 한 번 변질된 내 목소리는 이전의 낭랑한 목소리로 돌아오지 않는다.

특히 감기에 걸리게 되면 항상 목감기로 끝이 나면서 애를 먹는다. 발작처럼 오는 기침을 막기 위해 소금 양치를 하고 잠을 잘때는 머플러를 한다.

애라에게는 내가 전국 성악콩쿨대회 초등부 수상자였다는 것을 말하지 않았다. 자질구레한 일상에서부터 내신 성적, 모의고사 성적, 호감 가는 남자 취향까지도 다 터놓는 처지인데도 숨기고 있는 일이다. 남친에게 버림받았던 쓸쓸한 추억과 목소리를 잃게 된 사연은 내 인생에서 다시 돌이키고 싶지 않은 흑역사이기 때문이다.

"보들보들한 게 착용감 짱이야."

이 머플러는 집에서 잠을 잘 때 두를 것이므로 칙칙하고 부드러운 천이 걸맞았다. 꺼끌거리거나 털이 있는 것들은 다음날 하루 종일 목 주위를 간지럽혀 긁지 않으면 견딜 수 없게 만든다.

3층까지 다 돌고 난 우리는 서로에게 줄 선물 하나씩을 사서 건네주었다. 나는 애라의 흰 피부에 어울리는 주홍색 틴트를 사서 선물로 주었다. 애라는 뛸 듯이 기뻐하며 산뜻하고 예쁜 무지개 색 머플러를 골라 주었다. 나는 알록달록한 머플러가 부담스럽긴 했지만 애라에게 고맙다고 말했다.

환한 매장을 다 돌고 밖으로 나오니 어둠 속을 떠돌던 서늘한 바람이 휘익 지나갔다.

"아, 시원해!"

주홍색 틴트를 바른 애라는 기지개를 켜며 말했다. 애라의 표정이 바뀐 걸 보니 오늘 문텐[1]도 그럭저럭 성공이었다. 달빛 속의 산책. 우리는 비록 형광등 밑을 돌긴 했지만 피곤한 심신을 쉬기에 적당한 시공간이었다. 전학생 때문에 내 인생이 180도 달라질 건 아니었다. 목소리가 제대로 안 나와 성악을 관뒀지만 끝이 아니었던 것처럼 말이다.

그제야, 한나절 동안 우리를 뒤흔든 전학생이 어떤 아이일까 궁금해졌다. 지금쯤 아이들은 야자를 끝내고 교문을 빠져나가고 있을 것이다.

바람에 실려 위클래스 상담 샘의 목소리가 들리는 듯했다.

'유리야, 820가지의 살 방법 기억해. 한 그루의 나무는 죽고 나서도 820종이 넘는 버섯을 길러 낸다.'

그리고 이런 모습의 나로 다시 자리를 잡았다.

우리가 그토록 궁금해했던 전학생은 키가 큰 편인데다가 통통하게 살이 올라 어른 같은 몸집이었다. 웃음기 가득한 눈과 보조개가 낯이 익었다. 이럴 수가! 그 애 얼굴을 보자 내 눈이 커지고 가슴이 쿵쾅대기 시작했다. 그 애의 입에서 이름을 들었을 때는 순간 뺨을 세게 맞은 기분이 들었다.

문텐: 밤 산책쯤. 달빛을 쐬며 심리적 위안을 얻는 일. 선텐이라는 말에 착안해서 만든 말이다.

'헉. 김선정이라고?'

싸가지의 끝판왕. 그 새끼가 맞았다.

그 많은 가능성 중에 하필 내가 이런 개패에 걸리다니?

5년 전, 야반도주하듯이 떠났던 놈이 이번에는 우리 학생들이 모두 달가워하지 않는 전학생으로 오늘 처음 나타난 것이다. 그런데 오늘 교단에 서 있는 모습은 퉁퉁 부어 있는 얼굴이었다. 다크서클도 깊었고 머리카락마저 탄력을 잃고 비죽비죽 솟아 있었다.

공부하느라 저렇게 망가진 건가? 선정이 아이들을 둘러보다가 나를 보고는 한동안 시선을 고정했다. 이제야 나를 알아본 모양이다. 나는 황급히 눈길을 거두고 고개를 돌려 버렸다. 이 순간 투명인간이 되었으면 좋겠다. 자존심이 상했다.

나를 바라보고 있는 선정에게 마음 깊이 감춰 두었던 질문 하나가 소용돌이쳤다.

'나쁜 놈, 왜 그랬어? 왜 말도 없이 도망가고 연락 한 번 안 했던 거야?'

옆 분단 애들이 속닥거렸다.

"보조개 멋지다. 외고에서도 제일 센 영중과라며? 오늘부터 이 언니 작업 들어간다."

남학생 킬러인 은채는 대놓고 관심을 드러냈다. 주위 아이들이 "같이 미움 받고 싶니?"라고 하자 혀를 날름 내놓았다. 아이들은 가만히 있는 게 아니었다. 서서히 판을 짜고 밀어낼 준비를 하고 있는 거였다.

"전학 온 선정이에게 질문 타임!"

자기소개가 끝나자 담임이 질문을 받아 주었다.

애라가 손을 들었다. 돌무더기에 돌을 던지던 삐뚜름한 입모양이다.

"뜬금없는 질문인데, 여기 왜 온 거야?"

가시가 수만 개 돋아 있는 말투였다.

선정은 특유의 웃음기 가득한 얼굴로 대답했다.

"너희들 만나러 별에서 왔어."

'지랄을 해라, 아주.' 나는 고개를 숙이며 혼잣말을 했다. 어느 드라마 제목을 갖다 쓴 거였다.

'쟨 5년이 지나도 아직도 버릇을 못 고쳤네. 어디서 느물대는 건 배워 가지고. 얼마나 많은 여학생들이 저 눈웃음에 가슴 설레었을까?'

"농담 치우고. 너도 내신 따러 온 거지? 아니면 교장 친척 아님?"

애라는 노골적으로 비아냥거렸다. 키득거리는 아이들 틈으로 "너무해!" 하고 탄식하는 소리도 들려왔다. 몇 달 전 전학 온 '전학생 투'가 애라를 쳐다보며 인상을 찌푸렸다. 쉬는 시간에도 단어장을 가지고 다니며 공부에 몰입하던 '전학생 투'는 집요하고 공격적인 아이들의 따돌림 때문에 맘고생을 심하게 했다. 변기통에 빠져 있던 교과서를 집어내거나 갈가리 찢겨 있던 체육복 바지를 소각장에서 발견하기도 했고, 비 오는 날 강당에서 혼자 체육 샘을 기다리던 악몽이 기억나는 모양이었다.

애라는 '뭐?' 하는 표정으로 '전학생 투'를 보았다. 참견 말라는 표정이다. '전학생 투'는 애라의 눈길을 피해 문제집에 코를 박았다.

"사실…… 고등학교 졸업은 해야겠어서."

'저게 뭐야?'

마치 억지로 전학 온 문제아 같은 대답을 했다. 표정은 그럴 수 없이 해맑아 보였다.

"어쩌지? 내 생각엔 좀 힘들 것 같은데. 넌 우리에게 아주 불편한 존재거든."

애라는 싸늘하기 짝이 없는 표정을 지었다. 어제 온종일 노심초사하던 마음이 그대로 드러난 것이었다.

"애라는 전학생한테 좀 살살하지 그러냐?"

"제가 뭘요? 내신에 목매는 줄 알면서도 외고생을 받아들이는 학교가 더 이상한 거 아닌가요?"

애라의 공격에 담임 샘은 잠깐 생각에 잠긴 눈치다. 아이들이 얼마나 민감한지 느낀 것 같았다.

"더 질문할 사람 없는 거지?"

담임은 아이들을 훑어보았다. 공부 잘하는 몇몇을 빼고는 전학생에게 흥미를 느끼는 아이는 없는 것 같았다. 1교시 책을 꺼내거나 못다 쓴 빽빽이를 채우며 딴짓을 하고 있었다.

"선정아, 저 끝자리로 들어가 앉아."

담임의 눈길이 나에게 머물렀다.

"앞으로 선정이가 학교생활에 익숙해질 때까지 허스키가 적응 도우미 좀 해 줘라. 알았지?"

샘이 뜬금없이 내 별명을 부르는 바람에 나는 깜짝 놀랐다.

'나? 나라고? 왜? 왜 하필 나냐고?'

머릿속이 마구 들끓었다. 담임이 선정과 나의 비밀을 알고 있는 게 아닐까? 한 달 동안 하루에 한 번씩 그 자식의 얼굴을 봐야 하고, 필요한 게 있으면 나서서 챙겨 줘야 한다. 밥 먹을 짝꿍이 없을 땐 같이 가서 먹어 주고 체육실을 못 찾을 땐 데리고 가야 한다. 그리고 내 청소 구역인 과학실로 데려가 매일 30분 동안 같은 공기를 마셔야 한다. 봉사 점수 4시간이 뭐라고 내가 누나 노릇을 하라는 거냐고 지금!

김선정 저 녀석은 기본적으로 인성이 썩은 녀석이다. 5년 전 사귄 지 200일이나 된 여친을 내팽개치고 말 한마디 없이 서울로 튀어 버린 이기주의자 녀석이다. 나는 마지막 자존심인 목소리마저 잃어버리고 끔찍한 6개월을 보내야만 했다. 창피해서 애들한테 말도 못하고 속으로 끙끙 앓았지만 맘속의 배신감은 두고두고 생생히 남아 있었다. 아무튼 내 눈앞에서 고생 좀 하게 될 녀석을 보는 건 깨소금 맛일 거 같다.

우리 반에는 학습 부진아와 전학생을 위한 '적응도우미'라는 제도가 있다. 학기 초 학급회의에서 건의 사항으로 나온 것인데 전학생이 새로운 환경에 적응할 때까지 실질적인 도움을 주자고 만든 것이다. 선생님이 교무회의 때 건의를 해서 이 제도는 봉사 점수까지 받을 수 있게 되었다. 지난번 전학생에 이어 두 번째 혜택을 받는 아이가 생긴 것이다.

조례 후 담임이 나가자 나는 심호흡을 했다. 지난번 자율 동아리인 우리 '또래끼리'에게 멋진 방을 주셨기 때문에 거절할 수는 없었다.

'젠장!'

웬수 녀석을 꼼짝없이 마주하게 생겼다. 수업 종이 치기 전 선정이 내 자리로 왔다.

"반갑다. 너……?"

"뭐?"

나도 모르게 펀치를 날렸다. 나는 배윤진이라는 명찰을 달고 있었던 거다. 눈으로 내 명찰을 가리켰다.

'안 보여? 나 한유리 아니라고.'

내 명찰은 '배윤진'으로 바뀌어 있었다. 이번 한 달간 나는 배윤진으로 살겠다고 마음먹었다. 다른 애가 되어 며칠을 지내다 보면 똑같은 학교생활이 달라 보일 때가 있다. 배윤진은 내가 잘 못하는 작문과 세계지리를 잘하고 가끔 학교에 퀼트를 가져와 쿠션 같은 걸 만들곤 하는 애였다. 여성스럽고 섬세한 윤진이의 몸속에 들어가 보는 것 같은 느낌 말이다. 게다가 선생님은 나를 허스키라고 했다. 그 자식이 헌 짚신짝처럼 버린 한유리라고 알아보는 게 싫었다. 피할 수 없으면 즐기라는 말처럼 모른 척하고 이 상황을 지나가려 맘먹었다.

"우선 우리 청소 구역은 과학실이야. 할 거는 별로 없어. 1학년 애들이 싹싹 다 닦아 놔서."

나는 선정에게 인사 따위 집어치우고 건조하고 빠른 어조로 말했다. 허스키한 목소리를 감추기 위해 억양을 두지 않고 낮게 말했다.

한참을 말하다 보니 녀석이 계속 웃고 있는 게 보였다.

마음씨 좋은 아저씨처럼, 아니 생각이 없는 바보처럼 말이다. 날씬한 모습은 어딜 가고 살이 20킬로그램쯤 찐 거 같다.

"과학실은 이 건물 2층인데 건물 모퉁이를 돌아야 해서 찾기 어려워. 그러니 종례 끝나자마자 교실 뒷문으로 와. 같이 가 줄게."

솔직히 녀석이 나란 존재를, 한때 눈을 맞추고 좋아 죽었던 한유리로 기억할까 그것도 좀 궁금했다. 5년이 흘렀고, 선정이가 달라진 것처럼 나도 달라져 있을 것이기 때문이다.

"너…… 유리 맞지?"

선정은 확신하고 있는 것 같았다. 아무렇지도 않게 내 이름을 불렀다. 목소리는 제법 중저음이고 힘이 있었다. 흔들려서는 안 되는데 얼굴이 먼저 달아오른다. 내 머리랑 달리 내 맘은 아직 녀석을 좋아하고 있는 모양이다.

사실 유리라는 이름을 듣고 당황했다. 누구도 나한테 유리라고 부르지 않는다. 엄마조차도 "한유리 밥 먹어, 한유리 얼른 일어나, 한유리 시험공부 더 해야지."라고 잔소리를 한다. 그런데 녀석은 성을 뗀 맨 얼굴 같은 내 이름을 그대로 불렀고 내 얼굴도 멋대로 훑어보았다.

기분이 이상했다. 나는 얼른 머리카락으로 목뒤의 흉터를 가렸다. 녀석이 기억하고 있을 게 분명한 나만의 암호였다.

"신기하다 낮달 모양이야. 흰색 타투 같아."

상처처럼 갸름한 점을 발견하고 했던 말이다.

옆에 있는 아이들이 낄낄댔다.

"아니, 아니라고. 명찰 안 보여?"

내가 말하자 주위에 있던 아이들이 박장대소를 하면서 웃어댔다.

"얘 배윤진이야."

"너 딴 애랑 착각하는 거 아냐?"

"외고생도 눈썰미는 별루네."

옆에서 거드니 한 사람을 쉽게 바보로 만들 수 있었다.

선정은 귓불까지 빨개져 있었다.

'김선정, 날 안다고 섣부르게 판단하지 마. 난 여기서 너를 배려할 아무런 이유가 없어.'

나는 속으로 몇 번이나 되씹었다.

"어, 진짜? 내가 알고 있던 애랑 너무 똑같아서 그만……."

선정은 표정이 약간 굳어지며 미안해했다.

"김선정. 난 널 몰라. 친한 척 하지 말고 우리 드라이하게 지내
자."

나는 선정의 눈길을 최대한 피하면서 스타카토로 말을 찍어 눌
렀다.

"어. 이따 청소 시간에 봐. 그 전에라도 필요한 거 있으면 물어
볼게."

"그러시든가."

난 최대한 건조한 투로 말을 던지고 사물함으로 걸어갔다. 그
녀석이 나한테 한 짓을 생각하면 이 정도의 대우는 당연한 거라
고 생각했다.

2
허스키 보이스

'그 애는 아직 이 도시에 살고 있는 걸까? 낮달처럼 희미해진 아이.'

교실로 올라가면서 계단 중간쯤에서 멈추었다. 지긋지긋한 어지럼증 때문이다. 새 담임 선생님과 함께 3층으로 올라가면서 벽에 찍혀 있는 운동화 자국을 보았다. 전학 온 첫날이라 건물이 낯설었으나 흰색 천장에 말발굽처럼 찍혀 있는 건 운동화의 앞부분이나 뒤꿈치 부분인 게 확실했다. 처음에는 발자국의 정체가 궁금했는데 운동화 밑창의 무늬라는 걸 알고는 웃음이 나왔다. 아니나 다를까 계단참 벽에 "벽이 아파요, 던지기 그만!"이라고 쓰여 있었다.

"진도도 다르고 교과서도 달라 초반엔 좀 힘들겠다. 우리 반엔 적응도우미가 있어서 도움이 좀 될 거야. 어려운 거 있으면 더 물어보고."

경쾌하게 걸어가는 새 담임 선생님과는 달리 내 걸음은 무겁고 느렸다. 난, 오늘 이후로 일어나는 모든 일들이 꿈이었으면 좋겠다고 생각하고 있었다. 완주하던 마라톤 코스에서 순식간에 옆길로 비껴난 느낌이었다.

대답이 없자 선생님이 말을 이어 갔다.

"몸이 아프다고 들었는데 좀 어떠니?"

"컨디션 조절만 잘하면 괜찮아요. 전에 다닌 학교는 기숙사 생활도 학습의 연장이라 쉴 수 있는 시간이 없었거든요. 좀 힘들었어요."

"아프기 전까지 뛰어난 학생이었다는 얘긴 들었어. 기본이 있으니 건강 챙기면서 공부해도 금방 따라잡을 수 있을 거야."

"아, 네."

마라톤 주자에게는 옆길이 없다. 나는 사실 전학을 오면서 샛길로 들어선 기분이었다. 비껴남이란 '무의미함'이 아닐까? 엄마의 바람대로 내가 다행히 대학에 입학을 한다 해도 그 이후 삶은 어떻게 되는 거지? 내가 정상적으로 살아갈 수 있을지나 모르겠다.

"우리가 이렇게 지내는 동안 완치약이 생길 수도 있잖아."

한숨 끝에 엄마는 말했다.

"완치약이 개발된다 해도 내가 그때까지 살 수 없을 거예요."

엄마는 안타까움이 뚝뚝 떨어지는 눈빛으로 나를 보았다. 나는 엄마의 눈길을 피했다. 엄마가 억지를 부리는 게 싫었다.

"민간요법이라도 찾아봐야지. 이대로 무너질 수는 없어. 엄마랑 아빠가 부지런히 찾아볼게."

"아, 바보짓이에요. 날 좀 가만 내버려 두세요."

"넌 왜 그래? 여태껏 아등바등 살아 왔던 게 억울하지도 않아? 뭔가 방법을 찾아봐야 할 것 아니냐고."

왜 내 일인데 엄마가 울어야 하는 거지? 파랑새를 좇다가 난 구렁텅이에 빠지고 말았어. 엄마와 난 꿈도 잃고 일상도 잃었어. 안방에서 홀로 울고 있는 엄마를 보면 나도 같이 미쳐 버릴 것 같아.

대입을 겨냥한 거라면 외고를 계속 다니다가 수능을 보는 게 나을 것이다. 그런데 엄마가 시골로 전학지를 정한 것은 나를 쉬게 해 주기 위해서였다. 한번 고집을 부리기 시작한 엄마는 누구의 말도 듣지 않았다. 스트레스는 내 병을 급속도로 악화시키는 주범이라는 것이다. 내가 짜증을 낼까 봐 사정을 감추고 쉬쉬하지만 가족들에게 내가 얼마나 뜨거운 감자인지는 느낌으로 알 수 있다.

여태까지 엄마는 나를 위해 자신의 내장이라도 꺼내 줄 사람이었다. 몸이 아프니 그게 오히려 무거운 짐이다. 엄마를 보면 숨이 막혀 죽을 것 같았다. 마치 엄마에게 큰 빚을 진 것처럼 말이다. 그래서 꼼짝없이 엄마의 선택에 따라 움직여야만 했다. 엄마의 제안에 아니라고 말할 수 없다. 엄마 앞에서 펼쳐지는 이 레이스를 멈추어야 하는데 늘 거부할 수가 없이 끌려간다.

전학 첫날 나는 D고에 전학 온 것을, 아니 그 전에 강력히 반발하지 않은 것을 후회했다. 전에 다니던 외고에 비해 D고는 분위기가 음계 3도쯤 높이 둥둥 떠 있었다. 수업 시간에는 3분의 2가 엎드려서 잤다. 선생님들은 아이들을 등지고 칠판을 보며 설명을 했고, 아이들이 자는 것을 보고도 별 반응이 없었다. 괜히 아이들을 몰아세웠다가 험한 꼴을 보지 않으려고 먼저 조심하는 것 같았다. 선생님들이 문제를 풀다가 막혀 홀로 자습서를 들여다보거나 칠판을 연습장 삼아 홀로 계산에 골몰하기도 했다. 아이들은 그동안 숨겨 두었던 스마트폰을 꺼내 게임을 즐겼다. 10분이 넘게 운동장에서 넘어온 호루라기 소리만 교실을 뒤덮는 진풍경이 벌어지기도 한다.

외고 아이들은 졸다 걸리면 스탠딩 책상에 서서 따로 공부를 해야만 했으므로 조는 것을 치욕스럽게 생각했다. 그러나 D고는 조는 아이들 틈에서 선생님과 눈이 마주치면 황급히 눈을 내리깔았다. 게다가 같은 반 CC들이 의외로 많아 몇몇 아이들을 타고 넘어 끝없이 필답을 주고받았다. 한 타임이 끝나고 쉬는 시간이 돌아오면 아이들이 악을 써대며 뛰어다녔다. 쉬는 시간 화장실을 다녀오다 두 건물 사이에 서 있게 되었는데 건물 속에서 터져 나오는 아이들의 목소리가 공명이 되어 마치 폭발음처럼 들리는 걸 경험했다. 이렇게 시끄럽고 혼돈스러운 소리 속에 있다가는 두통으로 머리가 터져 버릴지도 모른다. 그리고 화장실에서 돌아오다가 운동화 자국의 정체를 확인하게 되었다.

두 아이가 계단참에 서서 '발자국 도장 찍기' 게임을 하고 있었다.

"캔커피 내기 삼세판. 오케?"

"예압! 와카리야시다(알겠습니다)!"

삼선 슬리퍼를 움켜쥐고 있던 아이가 벽을 향해 냅다 내던지자 퍽 소리가 나면서 또 하나의 발자국이 찍혔다. 이번에는 다른 아이가 천장을 향해 던졌다. 발자국이 겹치지 않게 위로 던진 것이었으나 벽보다는 희미한 자국이었다. 아하, 저거였구나. 나는 아침에 발자국을 보고 잠시 궁금했던 게 기억났다. 건물 안은 아이들의 혈기로 뜨끈뜨끈했다.

어질어질한 머리에 차가운 물수건을 대면서 공부를 했고 조금 괜찮아졌을 때는 목에 건 채 시간을 버텼다. 아이들은 내가 외고에서 전학 왔다는 이야기를 듣고 무척 경계를 하는 것 같았다.

화장실에서 돌아왔을 때, 한 아이가 처음 나에게 인사를 청해 왔다.

"안녕 전학생 쓰리. 난 전학생 투야."

뿔테 안경 너머 작은 눈이 나를 빤히 보았다. 3개월 전 전학을 왔누라 먼저 자기소개를 했다.

"1반에 전학생 원이 있고, 그리고 우리 반에 내가 전학생 투, 김선정 네가 전학생 쓰리."

"어, 그래?"

"여기 아이들 정말 사악해. 겪어 보면 알아. 난 아직도 투명인
간이야."

"힘들었겠다. 근데 이곳으로 전학 온 이유가 있을 거 아냐? 좋
은 점은 없어?"

나는 전학생에게 물어보았다.

"솔직히 내신 따긴 쉬워. 문제도 껌이고."

"그럼 된 거 아냐? 아이들은 네가 내신 때문에 왔다는 걸 알고
미워하는 것일 수도 있어."

안경을 추어올리며 전학생 투는 어깨를 으쓱했다.

"맞아. 그래도 전학생 선배로서 팁을 주는 거야. 내가 전학 왔
을 때는 아무도 이런 얘길 해 주지 않았어. 그러니 참고해라 전학
생 쓰리. 공부는 어느 정도 했을 테니 성적은 나올 거야. 근데 그
게 문제가 아니라고."

전학생 투가 자기 자리로 돌아가고 나서 나는 적응도우미에게
로 갔다. 교탁 앞에서부터 나는 사실 아이를 알아보았고 반가운
마음에 그 애 앞으로 달려갈 뻔했다. 낮달 같은 아이. 날이 어두워
지자 유리의 빛은 점점 더 강렬해지는 것 같았다.

6학년 때 유리는 단발이었고 머리카락 사이로 빨갛게 여드름
이 돋아 있었다. 동그랗고 통통했지만 노래할 때 목소리만은 얼마

나 섹시했는지. 그새 키가 많이 컸는지 마지막 줄에 앉아 있었다. 반가운 마음에 무방비 상태로 덥석 말을 붙였다가 날카로운 가시에 찔리고 말았다.

예전의 한유리가 아니었다. 냉정하고 칼날 같은 아이였다. 내뱉는 한마디 한마디가 서늘하고 날카로웠다. 게다가 말은 또 얼마나 싸늘한가. 아는 척하지 말고 드라이하게 지내자고 했다. 유리도 돈 문제로 얽힌 부모님들의 사연을 아는 건가. 점심시간에 적응도우미 뒤에 줄을 서서 그 애의 뒷목을 훑어보았다. 낮달. 한유리의 목에는 흰색 점이 있었다. 다친 흉터가 낮달 모양으로 남아 있었다. 왜 배윤진이라는 이름표를 달고 자신의 정체를 숨기는 걸까? 차라리 대놓고 나를 비난하고 사과하라고 한다면, 혹은 그때 그 일을 해명하라고 했다면 나는 솔직담백하게 말할 수 있을 것 같았다.

나는 그렇게 나가는 게 성공하는 삶인 줄 알았다고. 그래서 너에게조차 인사할 여유가 없었노라고. 나는 전학생 투와 함께 밥을 먹으면서 계속 한유리 쪽을 보고 있다가 한 번 눈이 마주쳤다. 내 눈빛을 의식했는지 한유리는 고개를 돌린 채 다시는 내 쪽을 돌아보지 않았다.

'화가 많이 났구나.'

이제 와서 뭘 어떻게 하겠다는 건가? 어릴 적 소꿉장난하던 시절의 일이 아니었나? 나는 한숨을 쉬면서 천천히 남은 밥을 먹었다. 점심시간에 나는 천천히 학교 건물을 돌아보기 시작했다. 동아리 활동방, 교무실, 방송실 주변에는 벽에 발자국이 찍혀 있지 않았다. 그리고 웅웅거리는 아이들의 목소리가 멀어져 있었다. 이 학교에는 안타깝게도 천문학동아리가 없었다. 동아리 활동을 안 할 생각이지만 공유할 것이 없는 학교생활은 상상조차 할 수 없다. 방송실 옆에 '또래끼리' 동아리 방이 눈에 띄었다. 명패 밑에 동아리 회원들이 옹기종기 모여 앉은 사진이 붙어 있었다. 심리 상담 동아리라고? 나는 문 가까이 다가가 어떤 아이들이 있는지 살펴보았다. 가운데 활짝 웃고 있는 한유리가 있었다. 성악 쪽으로 나갈 줄 알았더니 전혀 다른 쪽에 와 있었던 거다.

한유리가 동아리 축제 준비 때문에 가 버려서 나도 교실 청소에 참가했다. 빗자루를 들고 왔다 갔다 하다 보니 어느새 끝나 하루가 금세 가 버린 것만 같았다. 어쨌든 나로서는 신경 쓸 일이 적은 여유로운 환경이었다. 석식을 먹고 기숙사로 향해 가는 대신 자전거를 타면서 뇌를 풀어 줄 시간이 주어진 것이다.

다른 아이들은 야간자율학습을 하러 자습실인 청심당으로 가는데 예체능을 하는 아이들과 취준생들, 그리고 특혜를 받은 나는 학교를 빠져나올 수 있었다.

엄마가 원한 게 이런 거였나?

"아들이 입시를 포기하지만 말게 해 주세요."

엄마는 내가 전학 오기 전부터 만반의 준비를 하고 있었던 것 같았다. 엄마의 주도면밀함에 혀가 내둘러졌다.

"자전거 타고 강변 한 바퀴 돌고 갈게요. 머리는 괜찮아요. 좀 더 지끈거리면 중간에라도 돌아갈게요."

"강바람이 찰 텐데, 마스크 해. 여덟 시에 과외선생님 오시니까 늦지 말고."

"선정아, 아빠도 있다. 파이팅!"

차를 타고 이동하고 있는지 엄마 아빠의 목소리 뒤로 네비게이션 멘트 소리가 들렸다.

교문 옆에 묶어 두었던 자전거를 타고 내리막길을 달렸다. 바람이 차가웠다. "우리 드라이하게 지내자."고 했던 유리의 말이 자꾸 걸렸다.

중3때 동아리 아이들과 이곳을 지나간 적이 있었다. Y면에서 발견된 소행성도 확인할 겸, 몇 년 전 별똥별이 떨어졌던 곳도 탐사하기 위해서였다.

나는 오랫동안 찾지 않던 유리의 연락처를 찾아보았다. 핸드폰 번호는 바뀌었고 어느 중학교에 배치되었는지 알 길이 없었다. 가슴 밑이 따끔거리긴 했지만 그게 그리움 때문인지 알 수 없었다.

뭐라고 사과를 할 것인가? 또 무슨 약속을 할 수 있단 말인가? 3년이 넘도록 전화 한 번 하지 않은 나는 정말 미안하긴 한 건가?

경쟁에 치어 나는 금방이라도 돌아가실 것 같았고 엄마는 유리네 건물에 들어간 권리금 이야기를 하면서 연락을 막았다. 3년은 더 빡세게 공부해야 할 것이므로 더더구나 기약할 수 없는 신세였다. 강박증후군이 있는 나로서는 유리를 어떻게 정리해야 할지 알지 못했다. 그래서 또 유리를 접어야 했다.

귓가에서 쿠쿠, 굵고 탁한 바람 소리가 들려왔다. 운동이 될 만한 코스를 알고 있었다. 출석 일수를 맞추다 보니 며칠 날짜가 비어 나는 자전거로 D시 시내와 강변을 쏘다니며 낮과 밤의 풍경들을 구경하고 돌아다녔다. 시내는 전학을 가기 전보다 훨씬 더 사람의 손길이 간 걸 느낄 수 있었다. 강 주변으로 모조 돌을 쌓아 둑을 만들었고 색깔 고운 개량종 팬지꽃으로 뒤덮었다. 쓰레기나 잡초 하나 보이지 않는 깔끔한 산책로였다. 여름에 인공폭포가 흘렀었는지 돌에는 하얗게 물이끼의 흔적이 남아 있었다. 온통 인공의 냄새가 나는 삭막한 강변을 10여 분 달려가자 내가 찾아 헤매던 풍경이 나타났다.

넓고 포근한 억새밭. 강 반대편으로 펼쳐진 논과 밭들, 기찻길과 맞닿은 무인 건널목으로 가끔씩 딸랑이 소리가 들리곤 하는 곳이었다. 경원선 기차가 지나가자 억새들이 한꺼번에 깊숙이 누웠다가 일어났다. 기차 소리가 멀어질수록 우수수 바람 소리가 더 크게 들려왔다.

나는 자전거 손잡이를 잡은 채 눈을 감고 그대로 심호흡을 했다. 시원한 바람이 내 몸 깊숙이 빨려 들어왔다. 자전거를 뉘어 놓고 나는 시든 억새풀 속으로 들어가 보았다. 바다 속에 누워 있는 느낌이었다. 쿠쿠쿠, 이대로 잠들고 싶었다. 억새를 헤집고 돌아다니며 밑바닥을 훑어보면 촘촘히 박혀 있는 자디잔 자갈들을 볼 수 있었다.

중학교 때 천문학동아리를 하면서 별똥별을 찾으러 왔던 곳이다. 이곳에서 조금 더 가면 Y면이 나오는데 거기에 '뚱별 샘'의 별똥별 연구소가 있었다. 그는 우리나라 사람으로는 처음으로 자신의 별을 갖게 된 사람이었다. 그가 발견한 소행성은 휴전선과 가까이에서 발견했기 때문에 별의 이름은 '통일'로 지었다고 했다. 인터뷰를 마치고 돌아오면서 소풍 온 기분으로 한참을 헤매다 돌아갔는데 그때 보았던 너럭바위가 그대로 있었다. 어른 두 명 정도 누울 수 있는 넓고 평평한 바위였다.

나는 너럭바위에 누워 하늘을 보았다. 유리가 말한 '드라이하게 지내자'가 어떤 의미일까 생각해 보았다. 나 때문에 상처를 많이 받았다는 걸까? 꼴 보기 싫다는 말일까? 자꾸 생각해 보니 이상하게 냉기보다 열기가 느껴진다. 학교에서 출발해 1킬로미터쯤 자전거를 타고 왔다. 군부대가 있고 고만고만한 잡화상점과 마트가 두 곳 보인다. 유리와 화해를 하게 된다면 꼭 이 자리에 다시 올 것이다.

'한 달간의 시간이 주어진 거야. 유리를 되돌려 놓을 시간.'

머리를 압박하던 강한 팽창감이 누그러지면서 울렁거림도 사라졌다. 자전거를 끌고 마트까지 걸어갔다. '새봄슈퍼'. 예쁜 이름이다. 이름과는 달리 허름한 잡화 가게였다. 가게 할머니는 바퀴를 벗어나 늘어져 버린 체인을 다시 감으려고 낑낑대고 있었다.

"어서 와요."

할머니는 땀을 닦을 생각도 못하고 있었다.

"제가 해 드릴게요."

"우리 손주가 있었으면 뚝딱 고쳐 줬을 텐데. 고마워요."

별 것도 아닌 일인데 너무 고마워해서 내가 더 쑥스러울 지경이었다.

수레처럼 개조한 세 바퀴 자전거는 오래 탄 것인지 본체가 미세하게 비틀려 있었다. 체인을 자리 잡게 하는 게 쉽지 않아 끙끙거리다 보니 손은 검은 오일로 범벅이 되었고 나도 모르게 열이 올라 페달을 돌리는데 땀 한 방울이 손등으로 떨어졌다. 할머니가 수건을 물에 적셔 내게 건네주었다.

"아니에요. 수돗가에서 씻을게요."

"나이가 어떻게 되우?"

"열여덟이요."

할머니는 고개를 끄덕이고 내 등을 두드려 주었다. 체인을 잡아당기다가 엄지손가락이 긁혔는지 수돗물이 닿을 때마다 따끔거렸다.

할머니는 가겟방에 붙은 작은 사진을 가리켰다. 군인 복장의 남자였다. 웃고 있는 눈이 나와 닮은 것 같다. 할머니는 "우리 손주라우. 박새봄."이라고 말했다.

왜 자기 손자의 이름을 알려주는 걸까? 놀아 주라는 것도 아닐 테고, 자랑하려고 그러는 것 같지도 않다.

이 외딴 곳에서 작은 가게를 보고 있는 할머니는 사람이 그리웠던 걸까? 나는 다시 한 번 가게 안을 둘러보았다.

가게는 깔끔했지만 파는 물건이 별로 없고 농기구나 손수레, 자전거 등이 구석에 놓여 있었다.

"스물 둘. 집 지으러 다녀요."

노인은 손주를 그리워하고 있구나.

캔 음료 두 개를 받고 돌아오는 길, 어두워 오는 하늘에 초롱초롱한 별들이 돋아나기 시작했다. 나에게는 낯설고 새로운 날이 시작되었다. 얼마나 더 나락으로 떨어질지는 잘 모르겠다. 어수선하고 고통스러울 때 나는 이곳에 와야겠다고 생각해 본다. 너럭바위와 혼자 사는 노인, 그리고 얼마 남지 않은 김선정. 별 하나가 서쪽으로 떨어지고 있었다.

집으로 간다고 전화를 걸었으나 아무도 받지 않았다. 새벽녘에 들어오는 엄마와 아빠는 그렇다 쳐도 초등학생인 동생도 집에 없는 모양이었다. 지역 축구 클럽에 든 선호는 밤늦게까지 공을 차느라 저녁을 거르기 때문에 요즘 부쩍 함께 만날 일이 없었다.

3
또래 상담 우체통

엄마가 좋아하는 상어떡볶이를 사서 가게에 들렀다. 주위의 다른 식당들이 다 문을 닫는 시간이었으나 '유리수산'은 손님들로 가득 차 있었다. 엄마 가게는 꾸준히 손님이 늘어 이번 가을에는 가게 앞에 천막을 치고 세 테이블을 더 놓게 되었다. 천막 안에도 난방 기구를 틀어 계속 손님을 받으려 한다고 억척스러운 엄마는 말했다. 뜰채로 고기를 낚는 삼촌이 바뀌었다. 홀서빙 이모도 한 명 더 늘어난 것 같았다.

밤마다 파스를 다섯 개씩이나 붙이면서도 엄마는 일을 줄일 생각은 없는 것 같다.

"엄마, 새로 사람도 더 뽑았네?"

"그만할라 했드마는, 늦은 밤 손님도 늘고 맞춤한 직원들도 들어왔지 뭐꼬."

"엄마가 사람 엄청 가리는데 웬일이래?"

"그럴 일이 있다. 예전 빌린 돈도 갚고 아들 병원비도 대겠다고 해서."

엄마는 상추와 깻잎을 다듬어 상추 바구니에 담았다. 두툼한 손 모양새와는 다르게 손놀림이 빠르고 정확했다.

"이제 늦은 장사는 안 한다고 했잖아!"

"그럴라 했제. 얼마 전 저녁 일자리를 구한다고 부부가 온 거야. 예전에 돈 문제가 얽혀 주저하고 있는데 부부가 정말 열심히 일하는 기라. 그래서 재료비 빼고 장사하는 건 다 가져가라 했제. 가게에 남자가 있으니 든든하기도 하고 말이다."

"조심해. 지난번처럼 또 당하면 어떡해……. 엄마는 사람을 잘 믿는 게 탈이야."

"어데? 아들이 니네 학교에 전학 왔다 카던데. 김선정이라꼬 외고 다니다 전학 왔다더만."

"뭐? 김선정?"

"너희 반이가?"

"저기 일하는 이모가 선정이 엄마야?"

나는 테이블을 닦고 있는 선정 엄마의 옆모습을 보았다. 깡마르고 앙상한 모습이었지만 몸놀림은 빨라 보였다.

"응. 근데 좀 안됐더라."

"왜?"

"아들이 어데 아프다 카데. 그래서 쉬지도 몬하고 늦게까지 일하는 거잖아."

뭐야? 투잡을 뛴다는 거야?

나는 정리가 되질 않아 고개를 갸우뚱했다.

"뭐? 걔네 엄마 아빠 지물포 한다고 했는데?"

"지물포 문 닫고 와서 일하는 거야. 쯧!"

"엄마, 걔 내신 점수 따려고 우리 학교로 전학 온 거야. 얄미운 놈이지. 아프긴 어디가 아파."

"그래? 아닌데, 어디 아프다 캤는데……."

"거짓말일거야. 옛날에 했던 짓을 보면."

"무신 짓? 걔랑 뭔 일 있었나?"

"기억 안 나?"

딸의 첫사랑에 관심이 없는 엄마. 까마귀 고기를 먹었나 보다.

"하나밖에 없는 딸한테 애정이 없어요, 애정이."

한 떼의 손님들이 가게 안으로 몰려들었다.

"따님! 궁시렁대지 말고 빨리 들어나 가셔."

"장사나 잘하셔. 그리고 딸내미 팍팍 밀어 줘."

"아주 대놓고 손을 벌리네. 성악 계속했으면 좋은 데 갔을 걸."

"그만해. 다른 쪽으로 가도 난 잘 살 수 있어."

"흐흥. 패기는 날 닮으셨네."

가게 앞 수조 속에는 두 부류의 물고기들이 있었다. 새로 들어와 위쪽에서 팔팔하게 헤엄치는 부류와 운반차에서 내린 지 오래되어 밑바닥에서 약간의 움직임만 있는 것들. 나는 어항을 건드려 바닥에 납작 엎드린 물고기들을 일으켰다. '선정이가 정말 어디 아픈 걸까. 살이 찌고 몹시 피곤해 보이긴 했어. 어떤 병이길래 외고를 포기하고 이런 시골로 돌아온 걸까?'

나는 밑반찬으로 나갈 옥수수 알을 집어 먹으며 선정이를 생각했다. 궁금증은 자꾸자꾸 부풀어 올랐다.

1학년 아이 두 명이 '마차제' 계획안을 들고 왔다. 동아리 담당 샘에게 다음 주 초까지 내라는 거였다. 마차제는 겨울방학 전에 열리는 우리 학교 동아리 축제로 학교 로고인 '하늘 마차'의 이름을 따서 매년 기말고사 후에 열리고 있다. 어릴 적 읽었던 그리스 신화의 아폴론이 끌던 태양 마차처럼 생겼다. 태양을 지고 하늘을 달리는 마차. 멋진 그림이다. 학교의 정규 동아리와 자율 동아리들이 모두 참여하는 부스 행사로 하루만 열리지만 참가하는 아이들을 압박하는 부담감이 있다. 경쟁에서 이기면 큰 액수의 상금을 받을 수 있기 때문이다. 은근히 옆 부스를 의식하게 되고 아이들이 몇 명이나 몰려들어 있는지 세어보게 된다. 작년에 이어 올해 또 '폭망 동아리'가 되면 안 될 텐데 뭘 해야 할지 잘 모르겠다. 뭔가 독창적인 아이템이 필요할 것 같다. 작년 우리 부스는 먹거리로 유혹하는 다른 동아리들에게 밀려 완전 쪽팔림을 당했다. '사과DAY', '친구에게 편지 쓰기'가 뭔가! 개미 새끼 하나 얼씬거리지 않는 부스에 앉아 지나가는 애들만 쳐다보고 있었다. 그 후 아이들로부터 '폭망 동아리'라고 두고두고 놀림을 받았다.

게다가 이번 기수는 더 큰일이었다. 작년 선배들은 의욕이 넘쳐 아이템이 막 쏟아져 나왔지만 이번 기수는 아이템 자체가 없었다. 1학년 아이들은 그렇다 쳐도 2학년인 나와 이진숙이 힘을 발휘할 때인데 진숙은 전형적인 뺀질이였다. 무슨 말을 해도 별 반응이 없이 영혼은 늘 방송부에만 가 있었다. 점심 방송은 고운 목소리로 노래하듯이 하면서 '또래끼리'에서는 영혼이 빠져 버린 공주님이었다.

마차제.

이건 고3이 되기 전에 내가 넘어야 할 가장 큰 산이었다.

"이거 언제까지 내야 하는 거야?"

나는 벽에 걸린 달력을 보며 아이들에게 물어보았다.

"연주(연구주임) 샘이 12월 전까지 내라고 하셨어요."

"그래? 너희가 걷으러 올 거니?"

"아뇨. 언니가 연주 샘한테 내셔야 돼요."

"계획안 짜는 것도 일이겠다. 머리 아파!"

주인 없는 또래끼리 동아리. 빈 계획안이 휑해 보였다.

사실, 2학기에 들어서면서 금요일 5, 6교시는 동아리 시간이 아니라 밀린 공부를 하는 시간이었다. 나는 단톡으로 아이들을 불러 모았다.

"똑똑, 낭자들. 마차제 준비해야지. 빨랑빨랑 고고."

- 언니, 수행 때문에 늦어요. 먼저 시작하세요. 죄송죄송.

- 나 생리통. 빨리 못 간당.

- 우리 계획안 내야 하는데 안 오믄 내 맘대로 그냥 짜서 올릴 겨.

- 어머, 그럼 고맙지.

"진짜?"

- 아니, 아니지. 너 혼자 할 것도 아니잖아?

- 얘기는 해 봐야죠. 언니 맘대로 하면 아니됩니당.

"그럼 톡으로라도 의견 올려 봐."

- 알겠어유ㅜㅜㅜ

- 옙.

난 카톡을 한참 들여다보았다. 금방이라도 올라올 것 같은 아이디어는 올라오지 않았다.

그럼 그렇지. 한참을 기다려도 감감 무소식이다.

'아휴, 지겨운 것들!'

나더러 어쩌라는 거야? 차마 말로 하지 못했으나 가슴 밑바닥에 가라앉아 있던 서운함이 화르륵 치밀어 올라왔다. 더 늦기 전에 이 또래끼리 일을 후배들에게 넘겨야 한다. 좋아하는 일이긴 하지만 지금처럼 나 혼자 낑낑대며 이렇게 끌고 갈 수는 없는 일이었다. 나는 졸업반이 되고 이제 떠날 준비를 해야 한다.

나는 창 밖에서 떨어지고 있는 플라타너스 잎들을 바라보며 생각했다. 또래끼리, 나처럼 휘청이는 아이가 있다면…… 간절히 자기를 바로 세우려는 아이가 있다면…… 그렇게 생각하면서 2학년 선배들과 함께 만든 동아리다. 꼰대스럽지 않은 심리 치료. 나에겐 그런 곳이 필요했었고 그런 친구가 되고 싶었다. 본래 모습을 잃고 펼쳐져 버린 낙하산처럼 우리 동아리도 그렇게 될 운명인 것 같다. 조만간 겨울방학이 될 것이고 떨어진 플라타너스 잎들 위로 눈이 뒤덮일 것이다. 동아리 활동 시간이 10여 분 지나도록 아무도 오지 않았다. 나는 《마지막 잎새》의 주인공 존시처럼 죽음을 기다리고 있는 것 같아. 그럴 수는 없었다.

어디 두었더라? 캐비닛을 열고 깊숙이 손을 집어넣었다. 감춰두었던 라이터를 꺼냈다. 곳곳에 숨겨둔 라이터들은 엄마 가게에서 한 주먹 훔친 것들이었다. 하얀 바탕 위에 '유리수산' 문구가 선명했다.

엄마 가게 안에 있는 온갖 '유리들' 중 하나이다. 그리고 그 모든 것들은 엄마 손길을 받아 반짝거린다.

"엄마가 너의 바닥이다. 아무것도 안 돼도 엄마가 받아 줄게."

어쩌다 엄마랑 함께 자는 날이 있는데 엄마는 내 등을 쓸면서 잠꼬대처럼 말한다. 코를 골다 말고 하는 소리이니 잠꼬대일 수

44

도 있겠다.

라이터를 치마 주머니에 넣고 쓰레기 소각장으로 갔다. 여자 화장실 옆쪽에 있는 개나리 울타리 소각장은 가까이 갈수록 매캐한 연기가 코를 자극하고 뒷산에서는 쏙쏙거리며 우는 산비둘기 소리가 들린다. 학교 건물 안의 애들 떠드는 소리에 비하면 소각장 주위는 고즈넉한 편이었다.

나는 왜 이렇게 소통하는 게 힘들까? 서로 나눠서 하면 좋을 걸 늘 내 쪽으로 무게를 가져오는 걸까? 또래 상담 동아리를 만든 건 1년 선배들이었다. 입시를 앞둔 언니들이 빠지기 전까지는 주기적으로 상담일지를 쓰고 또래 상담을 했다.

한때, 내담자들은 상담 후 뿌듯함 같은 걸 느낀다고 했다. 하지만 또래 심리 상담은 쉽지 않았다. 잘될 거라고 맞장구를 치다 보면 내담자는 저만큼 멀어져 있다. 함께 가다가 길을 잃어버리는 경우가 태반이었다. 우리 속에 있는 마음의 길들은 너무도 많고 다양했다. 상담자는 그런 다양한 심리를 아는 것도 중요하지만 가르치려는 태도와 성급하게 해결해 줘야 한다는 강박관념을 버리는 것이 필요하다. 이 두 가지 태도가 오히려 독이 되어 마음의 문을 닫고 제 갈 길로 가 버리게 만드는 것이었다.

심리 상담에 대한 거창한 기대를 하고 있었던 우리 기수 다섯 명 중 세 명은 진즉에 그만두었고 다른 한 명은 행사 때만 잠깐 나타나는 얼굴마담이다. 명색이 학생들끼리 제안한 자율 동아리인데 한 기수를 넘어가자 주체가 사라져 버린 것이다. 이렇게 흐지부지할 바에는 차라리 문을 닫는 게 낫겠다. 1학년 후배들이 두 명 들어왔으나 살살 눈치를 보며 힘든 일은 빠지려 하는 중이었다. 그들에게는 심리학과에 들이밀 스펙으로 동아리가 필요했으므로 쓸데없이 많은 힘을 뺄 필요는 없다고 생각하는 것 같았다. 얄미웠다.

그럼에도 불구하고 심리 상담은 내겐 생명의 은인과도 같은 경험이었다. 학교 창문의 'WE class 상담실' 문구를 보았을 때 나는 열세 살이었고 젊은 상담 샘은 화장도 하지 않은 언니 같은 분이었다. 샘은 해결책을 제시하기는커녕 우리에게 어떤 결말이 와도 상관없다고 하셨다. 샘과 어둔 길을 걸어가다가 원망하며 주저앉았다. 나는 인사도 없이 떠나가 버린 선정이에게 욕을 퍼부으면서 울고 또 울었다. 처음에는 눈물이 나왔지만 시간이 가면서 눈물 대신 쉰 목소리가 나왔다. 용기가 나기는커녕 짜증과 원망이 점점 더 커지는 거였다.

"넌 선정이한테 모든 걸 떠넘기고 싶은 거구나. 사실 성대가 약해 성악을 계속할 수 없는 건데."

"아니에요, 선생님. 전 몇 달 전에도 상을 받았는걸요. 그 새끼가 다 망쳐 놓은 거라고요."

죽은 나무 이야기를 들은 건 그때였다.

"유리야. 나무는 죽어도 그것으로 끝나지 않아. 쓰리고 아픈 일은 그걸로 끝나는 게 아니라 영양분이 되는 거야. 그러니 유리는 일어나서 다른 곳으로 가야 해, 응?"

열세 살의 나, 다른 곳이 어디냐고 물었다. 내가 갈 곳이 있다는 게 신기했다. 샘은 잘 모르겠다고 했다. 그 솔직한 대답이 마음을 움직였다. 우리가 가는 곳은 어딘지 모른다. 하지만, 이곳보다는 나은 곳일 거라고 했다. 용기를 주려고 과장하지 않았던 샘 덕에 나는 오히려 두려움에서 벗어나게 되었다. 한의원으로 침을 맞으러 다녔지만 그 후로도 목소리는 돌아오지 않았다. 그리고 그것은 끝이 아니었다.

소각장 주위에는 아무도 없었다. 학교 일과가 끝난 후 경비 아저씨가 불을 놓기 때문에 재활용 쓰레기들과 일반 쓰레기로 나뉘어 쌓여 있었고 시커먼 소각장은 비어 있었다. 나는 아무렇게나 버려진 낙엽이랑 이면지를 넣고 라이터로 불을 붙였다.

탁 소리 끝에 주홍빛 불꽃이 활활 타오르며 무수한 글씨들을 먹어 들어갔다. 타닥타닥 소리를 내며 까맣게 말려들어간다.

"이진숙. 너 1학년 때부터 방송반이라고 빠지는 거 내가 계속 봐 줬잖아. 끝까지 이러기야? 날 호구로 보는 거야? 그러고도 뻔뻔스럽게 같이 동아리축제를 했다고 말할 거지? 너 좀 치 떨리는 면이 있거든. 자소서에 너 혼자 동아리 이끈 것처럼 쓸 거지? 그런 마인드로 주위 사람들을 지쳐 떨어지게 만들면서 어디까지 가나 보자.

너 솔직히 말해. 나 혼자 쩔쩔매는 꼴 보는 게 재밌지?"

내 목소리가 불꽃 속으로 빨려 들어가는 것만 같았다. 일렁거리면서 타는 불꽃이 마치 내 모습 같았다. 나는 엉덩이 밑에 실내화를 받치고 앉아 밝고 환한 빛으로 다시 태어나는 내 목소리를 들었다.

"이민주, 염신애. 언니 졸업한 후에 후회하지 마라. 동아리 시간 일주일에 달랑 두 시간 있는 거 이렇게 엉망으로 만들고 나중에 너희랑 똑같은 후배 만나 봐. 그때 언니가 박수 찰칵찰칵 쳐 줄게."

축제와 소멸. 나는 불꽃 속에서 두 가지 상반된 이미지를 본다. 축제를 통해 소멸에 이르는 순간 몸속에 쌓였던 독소까지 다 휘발되는 것 같다.

주머니 안에서 카톡, 카톡 소리가 울려 나왔다.

이제야 또래끼리 낭자들이 동아리실에 들어왔나 보았다.

- 언니, 어디세요?

- 저희 왔는데…….

- 한유리, 축제 회의 안 할 거야?

나는 단톡방에 올라온 멘트들을 들여다보았다. 꼭 이런다니까. 다 타고 나면 반응이 온단 말이지.

"기다리삼^^. 음료수 뽑아 갈게."

크아 징한 것들! 너흰 이 불꽃 속의 공백에 관해 알지 못할 거야.

- 땡큐 베리 감사.

– 유리 언니. 멋져용^^

실내화를 털고 나머지 종이들을 불꽃 안에 던져 넣었다. 맘속에 있는 말이 술술 나왔다.

"야, 김선정! 이 나쁜 새끼야. 뭣 때문에 다시 돌아온 건데? 내가 박수 치면서 널 환영할 줄 알았냐? 웃기지 말라 그래. 바빠서 이러고 있지만 조만간 니 앞에서 복수의 검을 휘두를 날이 있을 거다."

불꽃에 취해서 나는 마구 떠든다.

까맣게 타들어간 종이에서 가늘고 매캐한 연기가 올라왔다. 나는 연거푸 재채기를 해대느라 경비 아저씨가 다가오는 것도 보지 못했다.

"학생 거기서 뭐하는 거야?"

나는 콧물을 닦지 못하고 경비 아저씨를 돌아보았다.

"네?"

"뭘 태운 거냐고?"

"모의고사를 너무 못 봐서 참을 수가 없었어요. 죄송해요, 아저씨."

"쯧, 그런다고 뭐가 달라지냐? 우리 딸년도 학교 다닐 때 맨날 성적 안 나온다고 끌탕을 하더니 잘만 살더라. 수업 끝난 종도 안 쳤는데 이러구 있으면 안 되지. 얼른 가. 내가 다 탔는지는 봐 줄게."

"아이고, 감사해요. 아저씨. 제가 아빠가 없거든요. 종종 뵙고 싶어요."

"뭘 종종 봐?"

아저씨가 모자를 벗었다 다시 쓰면서 눈을 부라렸다.

"아, 아니에요."

시커먼 재 사이에서 가는 불꽃 하나만 팔랑거리고 있었다. 아저씨는 싸락싸락 소리를 내며 비질을 해 재 주위로 쓰레기를 들여보냈다.

다들 모여 있을까? 나는 자판기에서 음료를 뽑아 계단을 올라갔다. 다음 생에 동아리에 들게 된다면 건강걷기부 같은 데 들어갈 거다. 다른 아이들이 오거나 안 오거나 서로 쿨 하게 버려두고 걸어다니면 되지 않을까? 학교 밖으로 나가 실컷 걷고 맛있는 것도 사 먹고 수다 떨다가 돌아오면 될 텐데⋯⋯. 불을 쬐고 온 나는 최대한 티 나지 않게 '또래끼리'를 후배들에게 넘겨줘야겠다고 생각했다.

"언니, 어디 갔다 왔어요?"

"똥 싸고 왔지."

"탄내가 나는데⋯⋯. 소각장 갔다 온 거지?"

"오올, 진숙이. 귀신인데."

"난 불 냄새가 참 좋더라. 생명의 냄새 같단 말이야."

진숙은 편지지로 부채질을 하면서 킁킁거렸다.

계속 딴 소리들.

"또래 상담 우체통에 글 하나 들어왔어. 이거 점심 방송에 읽어도 되는 거지?"

어떤 내용인지 진숙이 바짝 욕심을 내고 있었다.

"뭔데?"

손으로 쓴 편지였다. 오랜만에 우체통에 들어온 것이라 좀 특별해 보인다.

"커플링?"

"읽어 보세요."

나는 무제노트를 찢어 보낸 사연을 읽어 내려갔다. A4 크기의 두 장 분량이나 되는 긴 글이다. 우리 학교에 이런 문장가가 있었던가? 2년 내내 사연을 받았지만 이렇게 긴 글은 처음이었다. 보통 두세 줄 정도 쓰여 있고, 내용도 거의 비슷한 오르지 않는 성적이나 외모 고민 등이 대부분이었다. 글이 오면 우리는 우체통의 주인공인 학생을 수소문해서 방문하게 한다. 그리고 반쯤 장난처럼 또래 상담을 신청하기 일쑤인데 이 사연은 여러 가지 면에서 남달라 보였다. 우선, 이렇게 단정한 글은 처음 본다. 글씨는 악필이었으나 정성들여 꼭꼭 눌러 썼다. 그리고 어딘지 익숙한 글씨체였다.

안녕하세요. 또래 상담 우체통이 있다는 걸 알고 사연을 보냅니다. 반드시 익명으로 처리해 주시고 꼭 답장 주셔야 합니다.

저에게는 잊지 못할 여자 친구가 한 명 있어요. 이백 일 기념으로 유행하던 500원짜리 커플링을 나눠 낀 친구였어요. 문방구에서 사서 끼고 다니다가 잃어버렸는데, 사귄다는 게 뭔지, 가슴 뛴다는 게 뭔지 잘 몰랐던 어릴 적 여사친이었죠.

제가 갑자기 전학을 가게 되면서 우리는 헤어졌습니다. 너무 바빠 전학 수속을 밟아 특별한 작별인사를 하지 못했어요. 얼떨결에 상황이 그렇게 된 것도 있지만 뒷날 다시 만날 거라 생각을 했었죠. 학군을 바꿔 타서 폭망한 형과 누나들이 많았으니까요. 우리는 5년 동안 한 번도 만나거나 연락을 주고받은 적이 없었어요. 중학교 2학년 때부터 그 친구 생각이 많이 났습니다. 우리가 계속 궤도를 이탈하고 있다는 느낌이 들면서 다시 만날 수 없겠구나 생각이 들었기 때문이에요. 이럴 줄 알았다면 작별인사를 했어야 했는데. 저는 공부에 승부를 걸고 악착같이 공부했어요. 그리고 늘 쫓기며 살았습니다…….

중학교 때 동아리 활동을 하면서 친구가 다니고 있을 학교를 지날 일이 있었어요. 휴전선이 가까운 이쪽에서 '통일'이라 이름 붙여진 별 하나가 발견되었거든요. 우리나라에서 처음 발견된 소행성이었습니다. 별을 사랑하는 민간 천문학자 한 분이 희미한 별 하나를 발견해 우리말 이름을 붙여 주었고 세계에 그 이름을 알리게 된 거죠. 아저씨는 우리나라 사람들이 늘 그 별을 바라보며 생각할 수 있도록 그런 이름을 지었노라고 말씀하셨어요.

궁금하신 분들은 '어게인 별똥별'이라는 카페에 한번 들어가 보세요.

나는 생존 게임에서 벗어나 덕후로 성공한 똥별 샘을 보면서 신이 나고 흥분이 되었어요. 별에 대해 아는 대로 떠들며 창밖을 바라보았죠. 그곳은 제가 초등학교를 다니던 초등학교 부근이었어요.

떡볶이를 사 먹으면서 자주 가던 분식집이 보였고, 그 옆으로 학교 도서관인 지혜의 등대가 보였어요. 그 집을 지나는 순간 갑자기 혀가 얼얼해지면서 친구랑 지냈던 초딩 시절이 막 떠오르는 거예요.

이건 뭐지?

뭔가 단단하게 막고 있던 창호지 같은 게 찢어지면서 봇물처럼 막 쏟아져 나왔어요. 그리움인지 서러움인지, 후회인지 잘 모르겠지만 머리로 막을 수 없는 감정이었어요.

타고 있던 봉고차를 세우고 뛰어 내려가 시내 한복판에 서서 한참을 서 있었습니다. 한 아저씨가 별 하나를 발견하는 순간 나는 별 하나를 잃어버린 것 같아 가슴이 먹먹해졌어요. 봉고차 안에 앉아 있던 친구들이 빨리 오라고 했고 동아리 샘은 클랙슨을 울려댔지만 이곳에서 조금 더 서 있으려고 했어요. 내가 미쳤나 보다. 고향을 지나면서 뇌가 미쳐 돌아가는구나. 흐르는 눈물을 닦으면서 교문과 신호등과 분식집, 문방구 등을 둘러보았죠.

그리고 얼마 전 친구를 만나게 되었어요. 10센티미터 이상 키가 컸고 목소리가 변했지만 저는 단박에 친구를 알아보았어요. 너무 반가워서 나는 자꾸자꾸 웃음이 났는데 친구는 전혀 딴 사람인 것처럼 싸늘하게 절 대하더군요. 아니 싸늘하지 않고 아직도 뜨거웠어요. 나를 정말 미워하고 있었거든요. 귀와 눈을 가리고 저를 거부하는 것 같았어요. 모두 이해합니다. 제가 그 입장이라도 당연하다고 생각하고 진심으로 사과를 하고 싶어요. 다시 시작하자거나 너를 아직도 잊지 않았노라는 말은 하지 않으려 해요. 그건 미래를 담보로 하는 말이니까요.

지금 저에게는 지금 미래가 없어요. 현재만 있을 뿐이에요. 친구에게 저는 아주 복잡한 마음을 가지고 있지만 지금 제가 내놓을 수 있는 건 '사과'라는 카드입니다. 너무 오랫동안 질주하느라 만신창이가 된 나를, 무심하기 짝이 없던 나를, 친구가 받아 줄까요?

종이를 든 손이 조금 떨렸다. 그리고 눈시울이 화끈해지는 걸 느꼈다. 나는 아이들이 눈치를 챌까 봐 얼른 손부채질을 했다.
동아리방 앞을 서성이며 내 이름을 확인한 게 틀림없다. 넌 나를 만만하게 보고 수작을 부리고 있는 거야. 내가 네 알량한 한마디에 눈물을 흘리며 감동할 줄 알았니?

"언니, 멋지지 않아요. 무슨 연애소설 같아. 누가 요새 이런 글을 쓰나?"

1학년 이민주가 편지를 끌어안고 꿈꾸는 표정을 지었다. 하지만 나는 열기를 식히며 생각한다. 멋지다기보다는 의도가 궁금한 글이었다. 이미 이 글 안에 글쓴이의 입장은 정리되어 있었다. '사과'라고 하지 않았나? 이건 또래 상담반에 상담을 의뢰한 편지가 아니라 이 반에 있는 누군가에게 사과를 하려고 보낸 편지였다.

"이제 와서 왜 이러는 걸까?"

싸늘한 대꾸에도 느물거리며 웃어대던 선정의 모습이 떠올라 혼잣말을 했다.

"왜긴요? 얼굴을 다시 보게 되니까 미안한 거겠죠?"

"새로 전학 온 오빠죠? 이기적인 족속들이 아직 감정이 살아 있네, 칫."

이민주와는 달리 염신애는 조금 냉정한 목소리로 말했다.

나는 편지를 들고 계속 딴생각을 하고 있었다. 난 용서할 마음이 없어 드라이하게 지내자고 했다. 반지를 들여다보면서 늘 나쁜 새끼라고 저주했다. 꿈마저 잃어버린 처참한 상황을 버티고 또 버텨서 간신히 자리를 잡았다. 내 필통 속에는 은색 표면이 검게 퇴색되어 버린 반지가 들어 있다. 그걸 왜 버리지 않고 있었는지 잘 모르겠지만 그 반지를 보면 목이 너무 아프다. 두 가지가 함께 사라져 버렸다.

그 시간 동안 정말 나를 잊지 않고 그리워했다고? 네가 그리워만 하고 있을 때 난 너에게 전화도 하고 편지도 했어. 그런데 그때마다 전화를 받는 너희 엄마의 목소리를, 건조하고 날카로운 그 목소리를 들었었다고.

"선정이가 좀 바빠. 학생도 공부해야지? 나중에 연락하라고 메모는 전할게. 다신 전화하지 말아 줘."

그 후 너의 엄마 선에서 내가 정리된 것 같아. 그리고 넌 기숙사로 갔다는 소식을 들었지.

누군가 작정을 하고 우리 사이를 가로막고 있는 것 같아 더 이상 너의 손을 잡을 수가 없었어.

"얘들아, 이건 내가 상담해야 할 것 같아. 얘 내가 아는 애거든."

나는 편지를 접으며 아이들에게 말했다.

"진짜요, 언니. 웬일로 먼저 상담을 하겠다고 그러실까?"

"암튼 그 첫사랑. 누군지 궁금하지 않니? 별똥별 사랑이란 연속극을 올리면 어떨까?"

"앤 맨날 일만 만들어. 진숙 언니, 이 사연 점심시간에 읽어 주세요."

"음악은 뭘 틀어야 하지?"

오늘도 역시 마차제 이야긴 물 건너간 거 같다. 입속에서 탄산

수 방울들이 터졌다. 캔에서 마지막 탄산수가 떨어지는 순간 갑자기 머리가 시원해지면서 '허그'라는 단어가 떠올랐다.

나는 사실 아무 말도 듣고 싶지 않았어. 그냥 누군가에게 안겨 맘 놓고 울고 싶었다고. 거짓 희망으로 더 상처받기 싫었는데 다행히 위 클래스 샘이 그런 내 맘을 알아주었던 거야.

'허그'만으로 문제가 풀릴 수도 있는 거다.

맞아. 부스를 포기하면 되잖아. 아이들을 찾아다닌다면? 이것 괜찮은데. 어쭙잖은 상담보다 한 번의 허그가 더 강력할 수 있지.

"얘들아? 우리 이번엔 부스 포기하자."

"그럼 우린 뭐해? 그냥 놀 순 없잖아."

"좋은 수가 있어. 누구도 해보지 못한 거야."

안녕하세요. 오늘 점심 하늘은 티끌 하나 없는 오후입니다. 이제 조금 나른해지는 오후 시간입니다. 오늘은 조금 긴 사연이 들어와서 한 개의 사연만 읽어야 할 듯해요.

D고 학우 여러분 모의고사 때문에 우울한 마음을 편지와 음악으로 달래 볼까요?

(이진숙이 낭랑한 목소리로 사연을 읽는데 편지가 아니라 한 편의 시 같았다. 나도 모르게 눈을 감고 향기로운 차를 대하듯 음미한다. 진숙은 사연을 다 읽고 나서 이렇게 말했다.)

여친 분도 매우 기뻐하실 것 같아요. 두 분의 200일 사랑이 앞으로 더 오래 지속되기를 바랍니다.

음악이 방송실을 넘어 교정을 덮고 있다. 급식실에서 나온 아이들이 자판기 커피를 몰래 마실 시간, 교실로 돌아간 아이들이 남은 에너지를 발산할 시간, CC들이 나란히 붙어 앉아 서로를 확인할 시간.

나는 교실 창문을 통해 눈이 올 것처럼 찌뿌둥한 하늘을 보았다. 감미로운 음을 타고 선정과 나는 자전거로 강변을 달린다. 선정의 자전거가 앞서 달리고 있다. 조금 가다 보면 선정은 속도를 늦추고 나를 기다려 준다. 그 위로 노래가 흐르고 있다. 마치 선정이 불러 주는 노래 같다.

기분이 이상했다. 마치 오랫동안 오늘을 기다려 온 것처럼 미움이 사라지고 막혔던 숨통이 탁 트이는 느낌이었다.

야자가 끝나고 집으로 돌아오면서 나는 선정에게 카톡을 보냈다.

"똑똑!"

- 누구?

"가식 떨지 말고. 나 한유리."

– 어. 배윤진 가면을 벗었네. 내 번호 어떻게 알았어.

"전번 따는 건 쉬워. 내가 니 적응도우미인 거 잊었니?"

– 암튼 여러모로 도움이 된다. 적응도우미.

"너 '또래끼리'에 일부러 편지 보낸 거지?"

– 동아리로 보낼까, 방송실로 보낼까? 생각하다가 그날이 금요일이라 동아리로 보낸 거야.

"이렇게 공개적으로 편지를 보낸 이유가 뭐야?"

– 그렇게 말을 건네야 사과를 받아줄 거 같아서.

"거짓말…! 내가 쫌 세속적이거든. 까놓고 말할래?"

– 반갑다, 한유리. 이것뿐이야. 진짜 미안했어.

"당황스럽네. 그동안 엄청 힘들었는데 이제야 알겠어. 넌 왜 그렇게 너밖에 모르니?"

– 미안, 나 늘 그래. 근데 네 생각 많이 했지."

"내 알 바 아니야. 오늘 방송 들었지? 사연이 없다고 해서 우리 동아리 애들이 네 거 보냈어."

– 상관없어 ㅎ

"됐고, 일단 편지는 감동적이더라. 우리 힌 번 액땜은 헤야 할 것 같아. 이번 주말 시간 어때?"

– 오키. 문텐하러 갈까?

"헐, 문텐을 알아?"

– 그럼.

"우리만 아는 은어인 줄 알았는데."

– 나, 천문학 동아리잖니.

"주말 저녁은 힘들어. 엄마 가게 도와야 해."

– 우주소년은 내 닉네임이야. 그럼 점심때쯤 자전거 산책로에서 보자.'

"이상한 소리 하면서 또 어디로 날라 버리면 다신 안 본다. 우주소년!"

– 그러지 마, 제발.

핸드폰을 끄는데 애라가 다가와서 팔짱을 끼었다.

"뭐해?"

"카톡."

"누군데?"

"있어. 나만의 비밀이야."

"야, 전학생 쓰리. 꽤 멋지더라. 나대지도 않고 매너 좋고. 편지는 대박이었어. 근데 걔가 좋아했던 년은 누굴까?"

"우리가 알아서 뭐하게?"

"삼각관계로 진입하는 거지, 어때?"

애라는 긴 머리를 털며 말했다.

"이런 애가 사랑에 미쳐 나라를 팔아먹을 낙랑공주라니까, 쯧쯧."

"내가 잠깐 정신줄을 놨다. 그놈은 우리의 적이었지."

"핸드폰 놓칠 뻔 했잖아. 우리 가게에 가서 고구마튀김 먹고 갈래?"

"유리수산 스끼다시 정말 맛있지. 근데 나 다이어트 해야 돼. 종아리 살 튼 거 보고 충격 먹었어."

"그래서 이 토실토실 예쁜 살들을 빼려고?"

나는 애라의 볼을 꼬집으며 말했다.

"나중에 빼려면 힘들 거 아냐? 졸업하면 박씨 부인처럼 허물을 벗어야 하니 미리미리 빼 둬야지."

"그럼 허물은 내가 기념으로 보관하겠사옵니다."

"그러려무나. 향단아."

애라가 내 머리를 쓰다듬었다.

"근데 궁금하다."

"응?"

"상대가 누굴까?"

"고만 해라."

"왠지 굉장한 하이틴로맨스의 필이 온단 말이지. 궁금해서 미치겠는데."

"개뿔. 내가 그 여친이었다면 치를 떨었을 거 같은데."

"왜?"

"한마디 말도 없이 날라 버린 거잖아. 나쁜 새끼가."

"근데 너 쫌 의심스럽네. 네가 왜 감정이입하는데……?"

"나 같으면 가만 안 둔다는 거야."

"하긴 너랑 난 로맨스완 안 어울려. 쌈닭 이미지가 제격이지. 편지 속의 그녀랑 이미지가 안 겹친다. 우린 여리여리 하늘하늘한 이미지와는 좀 거리가 있잖아. 하 그래도 궁금하네, 물어볼 수도 없고."

"그러게."

나도 모르게 한숨이 나왔다.

'목소리를 잃게 되었어. 윤기 나는 내 목소리가 다시는 나오지 않았어.'

4
사과할 기회

유리는 자전거 대여소 앞에 앉아 있었다. 단발머리에 비비를 바르고 틴트도 발라 얼굴만 동동 떠 보였다. 맨 얼굴의 아이들보다 그 모습이 더 촌스러워 보인다. 아직도 내 눈에 콩깍지가 씌어 있는 건지 모르겠다. 유리가 화장이나 꾸밈새에 신경을 쓰는 아이라면 저런 차림으로 다니지는 않았을 것이다. 이전 학교 기숙사에 갇혀 지내는 여자애들은 거의 화장을 하지 않았다. 체육복이 교복보다 친근한 편이고 남자애들보다 오히려 외모에 관심이 없다. 거기에 비하면 D고는 화려한 꽃밭이라고 해야 한다. 색조 화장도 어른들 뺨치게 도발적으로 하고 다닌다. 우리 남자애들은 여자아이를 세 부류 정도로 생각하는데 연예인 뺨치게 프로 화장하고 다니는 애들, 외모에 아예 관심이 없는 비구니족들(머리조차도 짧다), 그리고 마지막으로 비비를 바르고 틴트를 바르지만 촌스러워 웃음이 나오는 아이들이다. 유리는 세 번째 유형이었다. 왜 화장을 하는지는 모르겠지만 급식을 먹은 후 거울을 보면서 입술을 바르고 빠빠거리는 모습은 웃음이 절로 나왔다.

유리 얼굴 위의 비비는 코 부분에서 뭉쳐 있었고, 틴트는 입술선을 마구 침범하고 있었다. 주말이라 앞에서 낡은 자전거를 빌려 나왔다. 둘이 자전거를 끌고 신천변의 자전거 길을 걷기 시작했다.

"운동 시간이니?"

유리가 물었다.

"응. 네가 이곳에서 만나자고 해서 깜짝 놀랐어."

"맞아. 나 이 산책길 별로 안 좋아. 기분 나쁜 추억이 있어서 말이야."

유리는 수평선 저쪽으로 지는 해를 보고 있었다.

"똥 밟았다고 생각하고 살지 그랬어."

"여태 그러고 살았어."

"잘했네. 목소리가 많이 변했구나."

"그래서 성악은 그만두었지. 첫날은 내가 너무 싸가지 없이 말한 거 같아."

"그 얘긴 그만하자. 내가 원인 제공자잖아."

"맞아. 왜 한 번 전화도 안 했냐, 새끼야."

"만나자마자 욕이냐? 마음은 굴뚝같았는데 엄마 때문에 연락을 못하겠더라. 그런 너는 왜 한 번도 연락을 못했니?"

"왜 연락을 못했냐고? 너 엄마한테 가서 물어봐."

"그럼 우리 엄마가 중간에서 끊은 거라고?"

"두 번쯤 전화했는데 마지막엔 부재중으로 뜬 내 번호로 직접 전화하셨어. 너를 애지중지하시는 건 좋지만, 나 정말 너와 너희 집 때문에 상처 많이 받았어."

"우리 엄마가 중간에서 이간질을 한 거네. 무릎이라도 꿇고 사죄할게."

"왜 우리가 다시 만나게 됐는지 모르겠다. 그 지점에서 끝났으면 죽을 때까지 미워하며 잘 살았을 텐데 말야. 난 너와 너네 엄마가 이해되기 시작했단 말이야."

"그래서 복수하지 않는다는 뜻이냐? 전에 말했던 '드라이'가?"

"그래. 너 때문에 죽 끓듯 하던 마음이 가라앉은 거지. 서로 더 이상 건드리지 말자, 뭐 이런 뜻이야."

"난 그 '드라이'라는 말이 적응 안 된다. 난 태어나서 처음이자 마지막으로 사귀어 본 여친인데."

"얘, 마지막은 또 뭐니? 어린 자식이. '드라이하게 지내자'는 뜻을 깊이 곱씹으면서 연구해 보렴. 네가 미운 건 사실이지만 이곳에서 망가지는 것도 차마 못 보겠단 말이야."

시들어 가는 코스모스 꽃밭에 한두 개 아직 남아 있는 꽃잎들이 있었다. 나는 자전거 위에 올라타 페달을 밟았다. 가볍게 바람을 가르면서 갈 수 있었다. 유리는 좌우로 휘청거리다가 겨우 균형을 잡았다. 중학생이 된 이후로 한 번도 자전거를 타지 않았다고 했다. 자전거만 봐도 내 생각이 나서 치가 떨렸던 모양이었다.

하지만 유리는 덤덤하고 의연한 표정이었다. 만약 나였다면 어떤 짓을 저질렀을지 모르겠다. 솔직히 6학년은 너무 어린 나이 아닌가. 나는 휘청거리는 유리의 속력에 맞춰 자전거를 운전했다. 유리는 자주 휘청대는 게 쪽팔리니 돌아보지 말고 가라고 했다. 나는 유리가 균형을 잡을 수 있도록 방향과 브레이크 조절하는 법을 알려주었다.

유리는 입술을 모으며 "오랜만에 타 보니 정말 어렵네."라고 혼잣말을 했다. 빨간 입술이 혼자 움직이는 것 같았다.

"그럼 오늘부터 201일로 치자. 각자 더 좋은 사람이 생기면 우린 부담 없이 쫑 내는 걸로 하는 게 어때?"

나는 유리의 제안이 너무 뜬금없다고 생각했다.

"안 그래도 돼. 넌 날 미워하잖아."

"몰라몰라. 다른 상황 때문에 이상하게 끝나 버린 거잖아. 우리 사이도 정리를 할 시간이 필요한 거야."

정리할 시간. 맞는 말이다.

"이상한 년들이 꼬리를 치기 전에 막아 주려는 거야."

"그렇게 깊은 뜻이?"

"나한테 네 여친으로서 뭔가 행복한 기억을 만들어 줘야 하지 않을까?"

"그게 뭔데?"

"아직 모르지. 차차 연구를 해 보라니까."

"생각 못했던 거라 당황스럽네."

"죄를 사해 준다는 건데 거절하는 거임?"

유리는 눈을 부라리며 내 앞바퀴 쪽으로 돌진해 들어왔다.

"아니, 이거 너무 급진전 아니니? 첫날 살벌했던 모습이 떠올라서 말이야."

"부담 갖지 마. 나한테 사과할 기회를 주는 거니까. 너한테 매달리려고 하는 거 아니야. 네가 아직 안 당해 봐서 몰라. 울 학교 외지인에게 엄청 폐쇄적이거든."

"날 도와주려고 일부러 그럴 필요까진 없어. 적응도우미만으로도 감사해."

"잘해 보자 김선정. 엄마 아빠한테 네가 어떤 존재인지 알게 되었어."

"그러니 우리 엄마를 미워하지 말아 줘."

"고건 좀 생각해 볼게."

귀여운 빨간 입술. 내 몸이 이렇게 망가지고서야 하필 너를 만나다니 안타까울 뿐이다. 머리가 점점 무거워지고 멍한 느낌이 스멀스멀 올라왔다.

과학실 청소는 신이 내린 땡땡이 구역이었다. 1학년들이 바닥과 다인용 탁자를 늘 닦아 놓기 때문에 유리는 과학 교구 위치와 실험 도구 등만 확인하면 된다. 2학년 세 명이 돌아가면서 체크를 하기 때문에 나머지는 종례가 끝나고 매점으로 달려가거나 자습실에서 공부를 할 수도 있는 시간이었다. 빗자루와 걸레를 들고 바쁘게 움직이고 있을 교실 아이들을 생각하면 조금 미안해진다고 했다. 유리는 자기 위치를 누리며 재미있게 살고 있는 게 확실했다. 겨울방학을 하면 부산으로 상담 동아리 합숙을 간다고 하는데 그 전에 나한테 옹이진 마음을 풀 수 있도록 잘해 주어야겠다. 나의 미안함이 오롯이 전달되기를. 나의 어둠이 유리에게 건너가지 않기를.

유리가 과학실 장부에 날짜를 표시하고 과학 기구 수를 체크하라고 했다. 깔대기, 비이커, 메스실린더, 스포이트, 샬레, 뼈다귀 인체 인형, 알코올램프, 양부일구까지 선반과 수납장에 있는 것들의 숫자를 기록하고 돌려주었다.

"조수가 있으니 편하다. 보답으로 맛있는 걸 준비했어."

유리는 알코올램프에 불을 붙이고 숨겨 두었던 국자를 꺼냈다.

"뭘 하는 거야?"

"이거 한번 해 보고 싶었거든."

램프 불빛에 국자가 푸르게 달궈지고 있었다. 달궈진 국자에 설탕을 넣었다. 몰래몰래 진행해 온 일이 나 때문에 이루어진 것이다.

"와우!"

"김선정. 소다 좀 가져와 봐."

나는 수납장에서 원소기호로 쓰여 있는 수산화나트륨을 꺼내 가져갔다.

"뭐하려고 그러는데?"

"달고나라니까. 제대로 가져왔냐?"

유리는 나무젓가락으로 콕 찍어 녹고 있는 설탕 위에 털어냈다.

"공부 좀 했네. 선정 군."

참 나, 헛웃음이 나왔다.

묘한 균형감 같은 게 있다. 친근한가 싶으면 멀어져 있고, 멀어져 있나 싶으면 오랜 친구처럼 허물이 없어진다. 달착지근한 냄새가 코를 간지럽힌다.

"너도 조금 넣어 볼래?"

유리는 나무젓가락 하나를 건네준다. 소다가 떨어지자 설탕은 부글부글 끓더니 라떼 거품처럼 부풀어 올랐다. 샤알레에 펼쳐 놓자 빠르게 식어 노란 풍선 모양이 되었다.

"맛있어. 먹어 봐."

"초딩 때도 넌 재미있었던 거 같아. 우간다 게임 기억난다."

유리는 깔깔 웃으며 달고나를 후후 불었다.

"아, 그거!"

"우간다에는 비행기가 몇 개?"

"한 개."

"넌 머리도 좋은 애가 왜 그렇게 못 찾았니?"

"모르겠어. 생각할수록 더 미궁 속이라서 얼마나 짜증이 나던지."

"요즘도 맞추는 애 별로 없어."

"진짜? 너 애들 쩔쩔 매는 걸 즐기는 거 아냐?"

"새디스트라고? 보살님이라고 해라, 김선정. 난 널 평생 저주해도 괜찮은 여자야. 우간다에는 망원경이 몇 개?"

"세 개."

"우간다는 참 부자 나라였구나."

"우간다는 전 국토의 4분의 1이 호수래. 적도에 걸쳐져 있는 나라."

"그런 거 알고 싶지도 않거든."

"미안. 여긴 천문학 동아리가 없어. 나도 니네 동아리 들어갈까?"

"안 돼. 우린 여자밖에 없어. 왠지 네가 미꾸라지가 될 것 같아. 분위기 이상하게 만드는 미꾸라지 말이야."

"그 반대일 수도 있지. 나 아주 적응력이 뛰어나거든. 우리 반 슬리퍼 던지기 챔피언이야. 몰랐지? 달고나나 먹자."

"까분다. 근데 우리 반에 너 멋지다고 난리인 빼순이들이 몇 있거든. 너한테 들이댄 애들 없니?"

"아직은."

"거 참 이상하네. 내가 네 이야길 안 좋게 흘렸는데 그것 때문인가?"

"내가 공식적으로 좋아하는 애가 있다고 했는데 누가 고백을 하겠니?"

"그런 거 별로 생각 안 해. 좋으면 임자가 있건 없건 즉각적으로 고백하고 또 싫다 하면 쿨하게 손 털어. 니네 외고에선 안 그랬어?"

"우리 기수에선 연애하는 애들이 별로 없었어. 파랑새족들이 대부분이지."

"파랑새족은 또 뭐야?"

유리가 국자를 닦으며 말했다.

"미래를 위해 오늘을 포기하는 사람들?"

"오 마이 갓!"

"나도 그중의 하나였어."

"무슨 재미로 살았니?"

사실 난 공부도 재미있었고 그것으로 내 인생이 업그레이드된다는 기대감이 있어 견딜 만했다.

유리는 세면대에서 국자를 잘 닦아 라이터와 함께 숨겼다.

납작 노릇하게 만들어진 달고나 조각을 잘라 입 속에 넣어 보았다. 초등학교 앞에서 사 먹던 그 맛 그대로였다.

"전학생 투가 한 말이 맞았군. 여기 무서운 곳이라더니."

"그렇지 않아. 아이들이 너한테 마음을 열도록 노력해 봐. 담임 샘한테 가서 당장 멘토링 신청해."

"왜?"

"우리 반 수포자들 많거든. 네가 수학 과목 멘토 하겠다고 하면 달려올 아이들 많을 거야."

"……조금 더 지내 보고."

"뭘 지내 봐? 넌 지나치게 신중하다니까. 이번 방학 때 동아리 애들이랑 부산이랑 통영 갈 거거든. '용문달양'도 들렀다 오려고."

"용문달양? 그 동굴 이름 들어본 것 같아."

"그래? 그 이름 무슨 뜻인지 알아?"

"뭐라더라? 얘길 듣긴 했는데……."

"굴을 통과하면 빛에 도달한다 뭐 이런 뜻이야."

"나도 가 볼래. 이 우울에서 벗어나고 싶어. 과연 빛을 볼 수 있는 걸까?"

"찾아봐야지. 공짜로 주어지는 게 있니?"

"없는 경우도 있어."

"힘들고 귀찮아서 그렇지 잘 살펴보면 다른 모습이 보인다고 하던데."

"누가 그래?"

"위클래스 상담 샘이."

나는 마지막 조각을 입에 넣고 탁탁 손을 털었다.

"그거 다 일부러 용기를 주려고 하는 거짓말들이야. 나한테 희망이 있다고 하는 놈들은 다 개자식들이라고."

"넌 참 시니컬해. 어릴 땐 안 그랬는데 사는 게 힘들었니?"

"그렇다고 쳐 두자. 아무리 해도 안 되는 문제들이 있고 살려고 바동거려도 민폐가 되는 족속들이 있는 거야. 그게 나지."

"무슨 말이야? 넌 여태까지 열심히 잘 살았어. 우리 학교에서도 네가 학교를 빛내 줄 공신으로 은근 기대하고 있는데."

"글쎄……, 그럴 일은 없을 것 같아."

"참 속을 알 수 없는 자식일세. 그래서 긴긴 겨울방학 동안 무얼 할 건데."

"……."

"집에서 공부만 할 거지? 이 진지충아."

"……대부분은 그렇겠지."

열여덟의 가을을 견디고 있다. 앞으로 더 나빠질 일만 남아 있는 가을이다.

우리는 문단속을 하고 과학실을 나왔다. 청소를 마치고 자습실로 가는 아이들이 보였다. 나는 자물쇠를 끼우는 유리의 손을 잡았다.

"뭐하는 거임?"

"손잡아 보고 싶었어."

"넌 아직 화가 안 풀렸거든."

"그래도 잘해 보자고 먼저 말했잖아?"

"그건 애들한테 미움 받을 게 뻔해서 적응할 때까지 봐주겠다는 의미야."

"알았어. 안 그럴게."

유리는 교무실로 물품대장을 내러 가면서 "뽀뽀 같은 건 사절이야."라고 했다. 늘 먹고 있는 항생제 때문인지는 몰라도 나는 또래 남자애들처럼 성욕이 왕성하진 않은 것 같다. 몽정조차 없다. 조만간 헤어질 것이므로 더 깊어져서는 안 된다. 딱 거기까지만.

ㅎ
우주 소년을 위한 팁

오전 8시, 수런거리며 들어오는 아이들 틈에 마스크를 쓴 선정이 뒤따라 들어온다.

'감기에 걸렸나?'

나는 사물함에서 수업할 교과서와 문서 파일을 챙기며 선정의 얼굴을 바라보았다. 문턱으로 한 발을 들여놓았는데 앞서 들어온 아이가 문을 닫아 버린다. 선정이 뒤따라오는 걸 보지 못했기 때문인지 모르겠다. 하지만 다리가 낀 선정이 한쪽 팔로 막으려 하면서 문은 제대로 닫히지 않게 되었다. 몇 초 안 되는 순간 둘 사이에 힘겨루기가 시작된다. 덩치는 점점 선정의 다리를 조여 문을 닫기 시작했다.

나는 깜짝 놀랐다. 우발적인 실수가 아니라 일부러 그런 거였다.

전학생 투에게는 아이들이 이보다 더한 짓도 많이 했었다. 체육시간 장소가 바뀐 걸 일부러 알려주지 않았다. 손야구 라인이 그려진 건 운동장이었기 때문에 3교시 체육시간 장소는 운동장으로 알고 있었다. 그런데 1교시에 잠깐 여우비가 내렸다. 걱정이 된 반장이 체육 선생님에게 달려갔고 장소가 갑작스럽게 강당으로 바뀌었다. 공교롭게도 전학생 투와 적응도우미가 자리에 없었으므로 우리들의 공모는 완벽하게 진행되었다. 2교시 쉬는 시간에 체육복을 갈아입고 강당으로 향하면서 일부러 신발주머니를 챙겼다. 전학생 투가 운동화로 갈아 신고 운동장으로 뛰어가는 것을 보고서야 2층 복도를 달려 구름다리를 통과해 강당으로 갔던 것이다.

텅 빈 운동장에서 전학생 투가 아이들과 선생님을 기다리는 동안 우리들은 박스에 든 주먹공을 가지고 던지기 놀이를 하고 있었다.

나도 그중의 한 아이였다. 죄의식은 없었다. 전학생 투는 우리에게 피해를 입힌 녀석이기 때문이었다. 내신밖에 희망이 없는 우리들을 나락으로 떨어뜨려 버린 녀석이기 때문이었다.

하지만 선정인 다르다. 뭐가 다르냐고?

힘에 못이긴 선정이 다리를 뒤로 빼자 문이 쾅 닫혀 버린다. 일부러 그런 게 확실하다.

마스크 밑으로 열을 받은 선정의 얼굴이 시뻘게져 있었다. 선정은 가쁜 호흡을 고르느라 마스크를 내렸다. 얼굴이 바람 가득 찬 풍선 같았다.

'얼굴 부은 걸 가리려고 마스크를 한 거였구나.'

아픈 애를 저렇게 괴롭히다니. 나는 자꾸 선정을 지키려 액션을 취하고 있다.

우리 반 아이들은 순둥순둥하고 두루뭉술한 아이들이 아니었다. 관심 없는 척하면서 조근조근 선정을 괴롭히고 있었다. 내가 따를 당한 것처럼 심장이 두근거리기 시작한다. 통통 부어오른 얼굴을 가리려고 선정은 마스크를 더 올려 썼다. 선정에게 무관심하려 해도 나도 모르게 선정의 뒷모습을 따라간다. 가방을 걸고 자리에 앉는데 선정의 의자에는 '201X년 9월 X일 전학생 쓰리 쥬금'이라고 씌어 있다. 어제까지 없었던 글씨였다. 이방인을 곱게 내버려둘 리 없다. 선정은 의자를 끌다가 글씨를 본다. 손가락으로 문지르다가 쉽게 지워지지 않는 걸 확인하고 그냥 자리에 앉는다.

몇 달 전 전학생 투의 의자에도 똑같은 낙서가 있었다. 전학생 투가 아이들을 사납게 훑어보며 커터 칼로 글씨를 제거하던 것과는 대조적으로 선정은 그냥 내버려둔다.

저런 반응은 우울증 중기쯤 된다. 보통 사람들은 자신을 괴롭히면 상대에게 화를 내거나 강한 상대인 경우 다른 것에라도 분노를 드러내게 마련이다.

나는 자리에 앉아 선정의 뒤통수를 바라본다. 무수한 샤이족들이 느닷없이 나타나 1등을 독차지해 버린 저 녀석을 가만두지 않을 것이다. 나와 애라가 소망탑에 그의 몰락을 빌었던 것처럼.

To. 선정

적응도우미로서 내 역할이 끝난 것 같아. 한 달이 정말 빠르네. 그런데 너랑 뭔가 쓸데없는 이야기를 하다가 다 지나가 버린 것 같아 좀 아쉽다. 전학 후 단박에 전교 1등을 하는 걸 보고 샘나고 얄밉고 그렇긴 해. 하지만 난 드라이하게 살기로 했으므로 쿨하게 축하할게.

난 이제 네가 학교생활에 어느 정도 적응이 되었다고 생각하는데 사소한 것들이지만 잊지 말아야 할 게 있어서 몇 자 적어 볼게.

그동안 몸이 많이 상한 것 같더구나. 가끔 얼굴이 몰라보게 부어 있어서 나까지 불안할 때가 있어. 수업도 빼먹고 양호실로 쉬러 가는 걸 보면서 네가 왜 그렇게 냉소적으로 세상을 보는지 조금 짐작이 되더라. 너희 부모님이 우리 횟집으로 알바하러 오시는 것도 모두 너의 병과 상관이 있는 거지? 사실 외고생이 전학 온다고 할 때 난 내신 등급 떨어지는 것 때문에 속으로 뭔가 잘못되기를 빌었거든. 그것 때문은 아니겠지만 건강이 더 나빠지지 않도록 기도할게.

아무튼 우주소녀을 위해 학교생활에 대한 몇 가지 팁을 주려 해.

(1) 시험공부는 너무 깊게 하지 마. 너도 봐서 알겠지만 우리 학교 면학 분위기와는 거리가 멀어. 철저히 교과서와 노트에서만 나오니 더 공부하는 건 바보짓이야. 그냥 달달 외워. 시험 2주 전 선생님이 수업시간에 들어오셔서 시험에 나온다고 하는 것만 체크해서 무조건 외워. 더 공부하지 마. 깊은 지식 따위 우리 학교 내신 성적에 전혀 도움이 안 돼.

(2) 그 대신 평소에 내주시는 수행평가는 목숨처럼 생각하고 잘 해야 해. 과목 선생님에 대한 충성심을 보여야 해. 빽빽이를 쓰라고 하면 그냥 써. 공부가 되든지 안 되든지 말이야. 지긋지긋한 빽빽이. 눈에 띄게 써야 해. 볼펜 두 개 묶어서 쓰면 시간 절약할 수 있어^^. 보고서를 쓰라고 하면 내용보다 폼이 나게 써야 해. 꽃 리본 하나 사서 앞표지는 근사하게 하도록 해. 그래야 점수를 받아.

(3) 전학생 투처럼 혼자만 잘 살려고 하다가 아이들로부터 왕따나 은따가 되면 여러 모로 살기 힘들어져. ㄷㄷ. 걔 노트 찢어지고 교과서 없어

진 거 다 같은 반 애들 소행이야. 모두 알고 있지만 모른 척하고 있어. 아무리 실력이 있어도 선생님 질문에 나서서 아는 척하지 마. 발표하지 말고 나서지 마. 밟히면 너만 손해잖아 ㅠ.

(ㅣ) 전에 말했듯이 너는 공부를 좀 할 테니 선생님이 학급 멘토링 신청하라고 할 때 꼭 신청해서 아이들에게 헌신적으로 봉사해. 이기적인 모습을 보이면 보일수록 아이들이 물어뜯는 강도가 세진다는 걸 잊지 마. 특히 수학 과목에서 애들한테 인정을 받으면 네 인생은 꽃길을 걷게 될 거야.

(ㅎ) 애라한테 찍히지 마. 선도부장으로 학교에서 파워가 있을 뿐 아니라 너 때문에 내신 피해를 가장 많이 받았어.

김선정! 오늘은 네 눈 주위 피부가 말갛게 부어올라 있는 걸 보았어. 피부 안의 가느다란 핏줄들이 헤엄치고 있는 것 같더라. 사람의 피부색이 그런 색깔일 수 있다니. 몸 관리 잘하고 힘든 일 있으면 너의 적응도우미한테 얘기해라. 바이.

나는 등교하자마자 선정의 책상 서랍에 쪽지를 넣었다. 교문을 지키다 들어온 애라가 "뭐해?" 하며 등 뒤에서 물었다. 코끝이 빨갛게 얼어 있던 애라보다 내 얼굴이 더 빨갛게 달아올랐다.

"버릴 것 없나 뒤지는 중이야."

"너도 참 집요하다. 얘 아파서 병원 갔잖아, 매우 바람직해. 친구."

나와 선정의 관계를 모르는 애라는 하얗게 이를 드러내며 웃었다. 단단한 이빨로 한 번 물면 절대로 놓칠 것 같지 않았다.

6
선정의 별똥별 카페

병원으로 가는 동안 '별똥별 카페'에 들어가 보았다. 카페에 또 N불이 들어와 있다.

어별 가족 여러분!!

오늘밤 10시에 별똥별이 떨어집니다. 천문연구원에서 오늘 밤 10시부터 내일 0시 30분까지 2시간 30분 동안 별똥별이 떨어지는 모습을 볼 수 있다고 밝혔답니다.

페르세우스자리 유성우가 우리나라에서 관측될 예정인데 페르세우스

자리 별똥별이 떨어지는 시간은 밤 10시 이후로 시간당 최고 200개의 별똥별이 떨어질 거란 예상도 나왔습니다만 별똥별을 구성하는 혜성 부스러기가 얼마나 넓게 펼쳐져 있는지 알 수 없어 시간이 변동될 수 있죠. 별똥별을 보려면 오늘밤 시간부터 다음날 새벽까지 밤하늘을 꾸준히 관찰하는 것이 좋다고 보고 있습니다.

(2시간 30분 동안 떨어지니 시간 충분하죠? 오늘 밤 하늘 좀 올려다 보시죠.) 카페에 인증샷 올려 주세요.

도시 불빛에서 멀고 주위에 높은 건물과 산이 없어 사방이 트인 곳이 관측 장소로 좋다고 제안했습니다. 누워서 머리 꼭대기 천장을 넓은 시야로 바라보듯 하는 방식을 추천했고요.

별똥별 잘 보시고 떨어지는 곳 한번 예측해 보자고요. 예측되면 우리 얼른 만납시다. 댓글 올려주시압.

똥별 샘의 공지사항이었다.

"인증샷 올리겠습니다.(우주소년)"

– 우주소년, 제주도에서 한번 봅세^^(똥별)

나는 댓글을 달고 망원경을 챙겨 넣었다가 하늘을 보고는 동생 선호에게 쳤다. 병원의 마당이나 높은 층으로 올라가 유성이 쏟아지는 장면을 볼 수 있을 것이다. 오늘같이 맑은 날이라면 그냥 볼 수도 있다. 선호는 망원경을 색소폰처럼 입에다 대며 좋아라 했다.

뚱별 샘을 다시 만나보고 싶다. 중3 때 그에게 반해서 늘 그의 카페를 들락거리고 있다. 우리나라 최초로 소행성을 찾아낸 그의 저력은 아마추어리즘이라고 생각한다. 그는 지치지 않는 열정으로 별을 관찰하고 사람들을 만나며 책을 내고 있다. 치과의사이며, 나이가 40대 후반인 그는 동네 아저씨 같이 수더분한 인상이었다. 대문 사진에 올라와 있는 그는 늘 등산모를 쓰고 산과 들을 떠돌아다니는 모습이었다. 그 때문에 의사 가운을 입은 그의 모습을 상상하기 어려웠다. 그는 왜 별에 집착하고 있는 것일까? 나는 카페 게시판 중 '뚱별 단상' 꼭지를 열어 보았다.

우리의 몸이 어디서 왔는지에 대한 여러 가지 설이 있지만 나는 우리 몸의 물질들은 별에서 왔다고 믿는다. 철보다 무거운 원소들은 초신성이 폭발하면서 만들어진 것이다.

지금으로부터 46억 년 전, 태양계가 만들어지기 전에 이곳은 작은 성운이었다. 이 성운 근처에서 태양보다 큰 별이 거대한 초신성 폭발로 사라졌다. 그 폭발에서 뿜어져 나온 물질들이 태양계가 될 성운 속으로 밀려들어와 태양을 만드는 핵이 되었고, 그 일부는 지구와 같은 행성들을 만들었다. 그리고 그 속에서 우리 인간이 태어난 것이다. 인간을 만든 것이 하느님인지 부처님인지, 아니면 또 다른 신인지는 정확히 알 수 없다. 하지만 인간의 몸을 이루고 있는 물질이 별에서부터 온 것만큼은 확실하다.

말하자면 우리는 '별 부스러기'들이다. 우리가 좋아하는 사람도, 아주 미워하는 사람도, 먼 옛날에는 우리와 같은 별의 한 부분이었다. 결국, 사람들이 서로를 사랑할 수밖에 없고, 자연을 보호해야 하는 태생적인 이유가 여기에 있는 것이다. 밤하늘의 별을 보며 우리도 오래전에 별이었다는 것을 생각한다면 별을 통해서 느끼는 감정이 조금은 다르지 않을까 싶다. 내가 별을 좋아하고 밤하늘을 바라보는 한 가지 이유가 바로 여기에 있다.[2]

이런 비슷한 카페에 여럿 들어가 봤지만 별똥별이 마치 보석의 일종인 것처럼 경제적 가치에만 초점이 맞춰져 있는 경우가 많았다. 운석 감정을 주로 하고 예쁘게 다듬어 사고파는 카페도 있었다. 이것도 러시아 올림픽에서 금메달에 운석을 6그램 넣어서 세계인들의 관심을 끌었기 때문인 것 같다. 매스컴에서는 순금의 40배나 되는 가치라고 난리를 쳤는데 사실 운석의 가격은 천차만별이고 언론에 의해 자주 조작되는 편이다. 게다가 국제적 운석 사냥꾼들이 생겨나고 암거래가 판을 치면서 가짜 운석들도 덩달아 많아졌다. 뭔가 관심을 받는 것들은 이권이 개입되고 그러다 보면 혼탁해지게 마련이다. 나는 그게 싫다.

이태형 저《별자리여행》(김영사) 구절 인용.

몸이 조금 나아진다면, 아니 며칠만이라도 자유롭게 떠돌아다닐 수만 있다면, 나는 뚱별 샘을 다시 한 번 만나 볼 것이다. 나는 깜깜한 밤하늘에 매달려 있는 것처럼 너무 무겁고 우울하다.

핸드폰을 들고 차에 비스듬히 누워 있자 엄마는 그만하라고 했다. 엄마가 후면경으로 나를 바라보고 있었다.

"좀 자 둬. 피곤하면 항생제와 해열제로도 두통을 못 잡아."

"근데 왜 갈 때마다 검사만 하고 확실한 처방을 알려주지 않는 거예요?"

"그러게 말이다. 일반적인 증상이 아니라면서 미루기만 하고…… 갑갑해."

"엄마, 근데 저녁에 딴 가게에서 일한다면서요? 나 때문이죠?"

"너 누구한테 들은 거니?"

"그 횟집 애가 우리 반이에요."

"너 때문만은 아니야. 가게도 재계약해야 하고 젊었을 때 열심히 벌려고 하는 거야."

"거짓말하지 마요. 선호는 무슨 죄예요?"

"선정아. 넌 신경 그만 써. 우리가 알아서 할게. 수치 올라가면 뇌압 더 심해진다. 눈이 멀 수도 있어."

엄마는 대답을 피하고 자꾸 딴소리만 했다. 대답하지 않겠다는 뜻이다. 자존심 강한 엄마는 나쁜 상황에 대한 대화 자체를 거부하기 때문에 나는 사실 내 몸의 상태나 치료에 대한 말을 제대로 들어본 적이 없는 것 같다.

늘 서울로 검사를 받으러 가야 하며, 보통 세 가지 이상의 검사를 받은 후 몸속의 물을 척수를 통해 빼내야 한다. 평소 열 종류 이상의 약을 챙겨 먹고 수시로 혈압과 열을 재 보아야 한다. 척수에서 물을 빼낼 때 격렬한 통증을 견뎌야 한다. 발병한 지 1년 만에 학교를 옮겨야 할 만큼 두통은 심해졌고, 척수를 통해 뽑아내는 물의 양도 계속 늘어났다. 집중력이 떨어지면 그만큼 에너지를 더 써야 하기 때문이다.

뭔가 쉬쉬하며 비밀에 싸인 이 분위기는 나를 심한 불안 상태로 빠뜨려 버렸다. 해결 방법을 모르기 때문에 나는 늘 몸을 상대로 외줄타기를 해야만 한다. 우주 안에서 홀로 폭발되어 떨어져 나가고 있는 기분이다.

"어서 와라. 좀 어떠니?"

담당 의사 선생님이 컴퓨터에서 눈을 떼고 나를 훑어보았다. 온몸을 스캔당하고 있는 기분이었다.

"가끔 눈앞에서 뭔가 터지는 것 같아서 10분 이상 멍한 상태로 있어요."

"없던 증상이 새로 생겼네. 언제 주로 그렇지?"

"얼마 전까지는 해가 질 무렵 주로 그랬는데 지금은 정해진 시간이 없어요."

"지난번엔 이틀에 한 번꼴로 어지럽고 토할 것 같다고 했는데 그건?"

"하루에 한 번꼴로 그렇고 피곤할 땐…… 사물들이 둥실둥실 떠다니는 것처럼 일렁거리기도 해요."

"뇌압이 점점 심해지는 것 같다."

의사 선생님은 진료카드에 두 줄을 치고 엄마를 보았다.

"어머니도 선정이가 이런 걸 알고 계신가요?"

옆에 앉아 있던 엄마는 고개를 끄덕였다. 얼굴이 더 어두워져 있었다.

"그럼요. 알고 있어요. 그런데 도대체 애가 이렇게 나빠지는데 새 치료법은 언제 나올까요?"

엄마 이마에 핏줄이 올라와 있다.

"매번 이렇게 물만 빼내고 있어야 하는 건가요?"

"희귀병이라 아직 원인과 치료법이 안 잡혀 있어요. 안타깝지만 조금 더 기다리셔야 합니다."

엄마는 무슨 말인가 하고 싶어 했지만 소용이 없는 걸 누구보다 잘 알고 있었다. 스툴 의자에서 일어나 창밖을 바라보았다. 엄마가 쉬는 깊은 한숨 소리가 진료실을 뒤덮을 듯했다.

"혈압 체크하고 응급실로 가서 누워 있어. 아무것도 먹지 말고. 간호사가 부르면 검사실로 가거라."

의사 선생님이 말을 하고 있는 동안 몇 번을 망설이다가 엄마가 말했다.

"오늘 안에 집으로 갈 수 있을까요?"

담당 의사는 차트에 소견을 써 내려가다 말고 엄마를 바라보았다.

"뭣 때문에 그러는 건가요?"

엄마 이마의 핏줄이 팔딱거린다.

"출석일수는 채워야 해서요. 날짜가 모자라면 유급이라……. 이제 1년만 채우면 졸업이잖아요."

"이렇게 힘들고 낯선 병에 걸린 애한테 학교가 무슨 의미가 있어요. 바로 내일 어떻게 될지도 모르는 상황 아닙니까?"

"예, 알아요. 하지만 저희 식군 애 하나 때문에 너무 많은 걸 희생하며 살았어요. 그러니 학교 수업은 빠지지 않게 해 주세요. 선생님. 부탁합니다."

선생님은 츳 소리가 나도록 혀를 찼다.

"참 답답하시네. 빨리 해 보도록 하겠지만 환자들이 밀려 있어 늦게까지 계셔야 할 겁니다. 검사 받고 물을 다 빼고 가야 하니까요."

엄마는 손수건을 꺼내 이마의 땀을 닦고 한숨을 쉰다.

"제 병이 어떻게 해야 나을 수 있는 건가요?"

"너만큼 우리도 궁금하고 답답해. 일반 뇌수막염과 같은 증상이지만 정확히 치료가 안 되는 병이야. 왜 생기는 건지, 어떻게 치료해야 하는 건지 모르는 상태야. 몸의 저항력이 마구 떨어지고 머리 안에 물이 차올라. 그 물이 뇌를 누르고 눌린 뇌가 이상 징후를 보이는 거지. 그러니까 네 몸에 차 있는 물을 정기적으로 뽑아 주어야 정상적으로 생활할 수 있는 거다."

나는 물에 잠기는 내 몸을 상상한다. 다리와 팔, 심장, 목, 머리까지 다 점령을 해서 나는 일어서지도 못할 것이다. 억새가 흔들리는 그곳. 자전거를 타고 그곳으로 가고 싶다. 오늘 밤 별똥별이 쏟아지는 걸 그 바위에 누워 보게 된다면 얼마나 좋을까?

입이 말라 젖은 거즈로 입술을 축였다. 그리고 혈액 채취 검사를 마친 뒤 MRA, CT 촬영까지 한 후에야 다시 응급실로 이동했다. 모든 검사는 빠르게 진행됐으나 나에게 그 결과를 알려주는 건 아니다. 몇 단계를 거쳐 엄마에게 오고 뇌신경학회로 보고가 된다. 이제 마지막 관문인 척수에서 물을 뽑는 일만 남아 있다. 이것은 피를 뽑거나 이를 뽑는 것과는 달랐다. 주사바늘이 꽂힐 때마다 작게 시작한 신음이 나중에는 견딜 수가 없는 비명이 되어 버리곤 했다. 오늘은 데시벨이 얼마나 오를지 모르겠다.

검사와 검사 사이 차례를 기다리는 동안 응급실 침대에서 까무룩 잠이 들었다 깨면 독감에 걸린 아기들이 들어와서 쉬지 않고 울어대고 있었다. 환자들의 울음소리는 다양했다. 주로 아이들이 울부짖는데 찢어지는 소리로 우는 아이, 기운이 없이 곡을 하듯이 우는 아이, 끊어질 듯 끊어질 듯 질기게 울음을 이어 가는 아이, 모두 응급실을 후끈 달아오르게 해서 숨이 막힐 지경이었다. 잠들었다 깨어나면 엄마가 내 곁 간이침대에 쪼그리고 앉아 졸고 있었다. 옆 침대에선 폐렴에 걸린 아기들 기침 소리가 BGM처럼 들려왔다.

끔찍한 기분이었다. 아이들이 병실로 옮겨지거나 퇴원을 하고 나면 다른 침대에서 노인들의 신음 소리가 들려온다. 나는 머리가 아파 담요를 뒤집어쓰고 옆쪽으로 계속 돌아누웠다.

창밖에 어둠이 내려오고 있다. 오늘밤 하늘에서 500여 개의 별똥별이 떨어진다면 이 중에 몇 개는 우리나라 어딘가에 운석으로 떨어질 것이다. 불타는 유성들이 며칠 후 운석으로 떨어질 것이므로 '어게인 별똥별' 번개 모임은 겨울 방학 후 이루어질 것이다. 가고 싶다. 가고 싶다. 갈 수 있다면 얼마나 좋을까? 나는 카페 대문 사진으로 올라온 운석들은 보았다. 손가락으로 꾹꾹 누른 것 같은 레그마 클립츠(용융각)[3]가 있고 불에 그슬린 검은 자국들이 있다. 만져 보면 계란 겉껍질 같은 까슬까슬함이 느껴진다. 철 성분이 많아 금속 탐지기를 갖다 대는 순간 삐익 하는 소리가 들린다. 소리가 울린 돌 중에 일반 돌보다 단단하고 무거운 것들이 운석일

레그마 클립츠(용융각): 소행성체가 대기권에 진입하면서 강렬한 열이 발생하고 그 열이 식으면서 생기는 불에 탄 듯한 무양. 운석의 종류에 따라 질감과 색깔이 다르다.

가능성이 많다. 나는 눈앞에 운석을 놓고 바라보는 것처럼 카페에 올라와 있는 돌들을 바라보았다. 나도 뚱별 샘처럼 살고 싶다. 그의 관심은 카페 회원들을 고양시키고 만족시킨다.

울음소리가 바뀐 걸 보니 또 다른 응급 환자가 들어온 것 같다. 나는 바로 누워 다시 카페의 최신 글을 훑어보았다.

이번 운석들은 캄포텔시엘로 운석일 것으로 추정됩니다.

제주도 지역에 10개 정도의 운석이 떨어질 것이라고 합니다. 이번 것은 요렇게 생긴 것들입니다.

(까맣고 반들반들해 보이는 겉 표면. 쉭쉭 숨을 쉴 것 같은 구멍들)

이번 것은 그리 비싼 편은 아닙니다. 순은 가격 정도로 거래되니까 은수저 하나 생겼다고 생각하시면 되겠어요. 그러나 은수저가 대수입니까? 옛날부터 운석 하나 가지고 있으면 집안에 놀라운 행운이 들어온다고 생각했어요. 제주도에서 만납시다.

나는 카페에 올라와 있는 까만 화강암처럼 생긴 캄포텔시엘로 운석을 들여다보았다. 곰보자국이 곳곳에 찍혀 있었다.

'아, 요렇게 생긴 거로구나.'

이건 철 성분이 제법 들어 있는 것이다. 철과 돌 성분이 섞여 있는 것, 돌 성분으로만 이루어진 것까지 세 종류가 있는데 이번에 떨어지는 것들은 중급으로 치는 운석들이다.

엄마가 간이침대에 앉아 꾸벅꾸벅 졸고 있는 게 보였다. 나는 머리를 꾹꾹 누르며 스마트폰을 내려놓았다.

"엄마, 이쪽에 누워요."

아무 것도 먹지 않은 내 몸에선 꺼질 듯이 작은 소리만 나왔다. 엄마 눈은 아직 잠이 덜 깨어 새빨갛고 눈동자도 불안하게 자꾸 흔들렸다.

"괜찮아, 선정아. 조금 있다 검사 결과 들으러 가야지."

창문 밖이 어둑어둑해진다. 나는 소변을 보려고 링거 병을 끌고 화장실에 들어갔다. 날이 스산해지면서 응급 환자들이 넘쳐 화장실 또한 만원이었다. 서 있을 기운도 없었다. 천천히 걸으며 로비를 지나다가 공중전화 부스에 서 있는 엄마를 보았다. 엄마는 부스 칸막이를 한 손으로 잡고 누군가와 통화를 하고 있었다. 나는 로비 조각상 옆에 서서 엄마의 통화 내용을 엿들었다.

"내 통장으로 입금해요. 여기서 바로 뽑게. 카드가 한도 초과로 떠서 아직 수납을 못했어. 4백은 넘을 것 같아."

엄마는 수화기를 바꿔 잡고 깜깜해진 병원 밖을 내다보았다. 염색을 잊었는지 정돈되지 않은 엄마의 머리카락이 회색빛으로 넘실거렸다.

"모르겠어. 나아질 기미는 안 보이네. 이제 물을 뽑아내야 하는데 애가 사색이 될 걸 생각하면 가슴이 미어져. 앨 데리고 가는 것도 정말 끔찍해. 아, 우리한테 왜 이런 일이 생기는 거지?"

한 번 병원에 올 때마다 4백만 원씩이라고? 우리 학교 한 분기 등록금의 열배가 넘는 액수였다. 그것 때문에 밤에도 쉬지 못하고 알바를 나가는 거였구나. 내가 휘청거리자 팔목에서 피가 역류해 붉게 되올라갔다. 나에게 미래가 있는 걸까? 다니던 태권도도 끊고 학습지 하나 시킬 수 없는 동생 선호가 떠올랐다.

나는 병원 로비에 서 있는 성모 마리아상을 잡고 한참을 서 있었다. 차디찬 돌의 느낌이 온몸을 얼려버릴 듯 했다. 집안을 먹어 들어가는 블랙홀이 나였구나. 이 모든 걸 감당하며 살아야 할 자신이 없었다. 그러므로 이러고 있을 때가 아닌 것 같다. 내 결론은 늘 똑같은 지점. 억새가 바람에 너울대는 그 지점으로 가고 있다. 주사액을 매단 지지대를 지팡이처럼 끌고 응급실 쪽으로 걸어갔다. 수술실 간호사가 이동침대 앞에 서서 나를 기다리고 있었다. 내 몸에 가득찬 물을 빼내는 일은 긴 동굴을 통과하는 것처럼 어둡고 고통스럽다. 나도 모르게 진저리가 쳐졌다.

7
유리가 꿈꾸는 프리허그

기말고사가 끝나고 본격적으로 축제 준비에 들어갔다. 나와 애라는 외출증을 끊고 시내에 있는 공연기획실에 다녀왔다. 우리 학교 행사를 주로 하는 기획실에는 무대 장비와 가발, 분장 도구 등이 빼곡히 걸려 있었다. 학교 행사 때마다 사회를 봐 주시던 아저씨들이라 내가 전화를 하자 흔쾌히 귀여운 동물 탈과 옷을 빌려주겠노라고 했다. 그리고 자상하게도 챙겨 놓고 기다리셨다.

돼지, 양, 토끼, 강아지 머리를 쓰고 애라에게 봐 달라고 했다.

"동물 탈을 쓰고 허그를 하겠다고?"

"응."

"머리통이 이렇게 큰데 허그가 될까?"

"마침 잘됐지 뭘 그래. 엉큼한 포옹이 안 되잖아."

"생각해 보니 그러네. 날이 추울 때라 덥진 않겠지만 이건 너무 오버하는 거 아냐?"

"아냐. 맨 얼굴로 끌어안으면 서로 뻘쭘하단 말이야. 그러니 이런 만화 캐릭터가 필요해."

"호올, 동물 옷 입고 상담하는 거야?"

"상담은 무슨. 하루 종일 음악이 쿵쾅거리며 흘러나올 거고, 아이들은 잠깐 머물다 다른 쪽 부스로 넘어갈 건데 그 아수라장에서 뭔 상담이니?"

"내 말이."

"내일 교문 앞에서 만나."

"엉? 교문 앞에서 춤추는 거임?"

"그런 유치한 짓을 하겠니? 그것보다 품위 있는 이벤트야. 근데 기획서가 단박에 통과를 해서 의외였어."

"선생님들도 뭔가 될 거 같다 생각을 하셨겠지."

우리는 버스에서 내려 학교로 돌아오면서 버스 정류장 옆 공터를 돌아보았다. 빈 밭에는 추수한 농작물 대신 통나무와 쇠파이프와 같은 건재들이 쌓여 있었다. 그리고 우리가 하나씩 쌓아올렸던 소망탑은 자취도 없이 사라져 버렸다. 봉긋하던 돌무더기가 뿔뿔이 흩어지고 작은 돌멩이들만 뒹굴고 있었다.

"저럴 수가?"

우리는 버스에서 내리자마자 텃밭으로 뛰어 들어가 뒹굴고 있는 돌들을 만져보았다.

"이게 뭐야? 난 이제 망했어."

나는 발을 구르며 탄식을 했다.

"왜 까부수고 난리야. 김선정도 병원으로 실려 갔는데 저거 때문에 다시 일어나는 거 아냐?"

"그러게 말야."

나는 애라의 말에 맞장구를 치면서 약간의 죄책감을 느꼈다. "선정이와 화해했어."라고 말해야 하나 말아야 하나. 사귀는 것은 아니라고 해야 하나 말아야 하나.

선정에 대한 미움은 내가 버림받은 데 대한 분노 때문이지 그 애 인생이 잘못되는 걸 원한 건 아니다. 그 애는 나름 열심히 살았고 자기 목표를 찾아 떠나갔다. 나는 그동안 800개나 되는 버섯을 길렀다고 믿는다. 지금은 상황이 역전되어 선정에게 많은 힘이 필요한 것 같다. 당분간 애라에게는 비밀을 유지해야겠다고 다짐했다. 왜냐하면 애라는 정말 선정이를 인생의 방해꾼으로 여기고 있기 때문이다. 자신의 생존에 방해가 되는 애를 적으로 삼은 내 친구는 나마저도 적으로 여길 것이 분명했다.

"근데, 한유리, 걔 희귀병이래. 뇌수막염인데 일반적인 게 아닌가 봐."

"엉?"

"그 말 듣고 기절할 뻔했잖아."

"왜?"

"왜긴, 너랑 나랑 전학 온다는 소식을 듣고 빌었던 거 생각 안
나?"

"맞아……."

"우리 이러다 점집 차려 나가는 거 아냐?"

"치, 경쟁자가 없어지니 목구멍이 확 트이는 것 같은 느낌이야."

나는 동물 탈과 옷이 터진 곳은 없는지, 움직임에 불편함이 없
는지를 살펴보았다.

걱정되는 건 적극적으로 나서는 애가 없다는 거다. 네 벌의 동
물 옷이 다 채워질지 나 혼자 나서다 끝날지 알 수 없어 불안했다.
연습장에다 계속 낙서만 하게 된다. 또래끼리 아이들은 축제날 허
그에 대해서는 찬성이었지만 학교 등교 시간에 미리 나와 있는 것
은 귀찮아하는 기색이 역력했다. 나는 자습실에서도 연습장에 허
그허그허그 같은 글자만 쓰고 앉아 있었다. 생각만 맴돌았다. 낯선
동물들과 미쳤다고 허그를 하겠나? 축제를 제대로 해내려면 그 전
에 물밑 작업이 필요한 거다. 자율학습 도중 화장실에 들어가 3학
년 선배들에게 전화를 돌렸다.

"선배님, 도와주세요. 축제 준비하고 있는데 아침마다 인형 탈
쓰고 학생들에게 허그해 줄 분 찾아요."

─한유리. 혼자 하지 말고 아이들과 나눠서 해. 동기나 후배 중

에 하겠다는 사람 없어?

"아이들은 축제날 하는 것도 부담스러워 하거든요. 짓궂은 남자애들이 집적댈까 봐서요."

– 지금 인원이 다 여자애들이지? 수능이 끝나 시간은 괜찮은데, 다 쉬고 싶어 해서 말이야.

"우리 애들도 교문 앞에 나와 있는 건 싫대요."

– 맞아. 우리 때도 아이들 의견 수렴하는 게 가장 힘들었어. 그럴 땐 네 맘 가는 대로 해. 원래 짱이 좀 고달픈 거야. 잘해도 욕먹고 못해도 욕먹거든. 그러니 맘대로 하는 게 낫다. 우리도 작년에 고생 좀 했지.

"선배님 있을 때 참 편했는데……. 시간 좀 내주실래요?"

– 축제 땐 어떤 걸 계획하고 있는데?

"부스 없이 학교를 돌며 허그하고 간식 꾸러미를 나눠 줄 거예요."

– 너무 뜬금없지 않니? 짓궂은 남자애들이 꽉 끌어안고 안 놔주면 어쩔 건데?

"동물 탈이 남녀를 알아볼 수 없게 만들어졌어요. 그리고 두 명씩 짝지어 다니면서 한 명은 허그를 하고 한 명은 선물 꾸러미를 줄 거니까 별일은 없을 것 같아요."

"부스 행사에서 부스 없이 운동장을 도는 것도 괜찮은 생각이야. 암튼 잘해 봐. 아침에 내가 애들하고 함께 나가 볼게."

"고맙습니다. 고맙습니다."

오 예! '함께 나가 볼게.'라고 했어. 이건 하겠다는 말이야. 선배들이 만든 자율 동아리잖아. 후배들이 애쓰고 있는데 마음이 안 통할 리 없어. 게다가 부스를 포기하고 우리가 학교를 돌며 이렇게 적극적으로 동아리 축제를 운영하겠다는데 당연한 거 아니야?

극적인 해결. 선배 언니한테 전화하길 잘한 것 같다.

아이들이 집중적으로 학교에 도착하는 등교 시간은 오전 7시 30분에서 7시 50분. 초겨울이라 주머니에 손을 넣거나 장갑을 끼고 구부정한 자세로 언덕을 올라오는 아이들이 대부분이다. 언덕을 올라온 아이들 입에서는 하얀 입김이 뿜어져 나온다. 이른 시간이라 아침식사를 거른 아이도 많고 지각할까 봐 마음을 졸이면서 등교하는 아이도 많다. 교문 앞에는 선도부와 학주 샘이 서 있지만 아이들의 머리나 차림새를 감시하기 위해 나와 있는 것이므로 학생들에게 결코 호의적인 모습이 아니다. 간혹 학원에서 광고지에 선물을 끼워 나눠 주기도 한다.

이런 상황에서 친근한 캐릭터 인형이 끌어안고 토닥토닥 등을 두드려 준다면 몸과 맘이 좀 풀리지 않을까? 그런데 확실히 우리 존재를 알릴 필요가 있다. '또래끼리' 명찰을 단 동물 인형들이 올라오는 아이들을 보고 있다가 다가가 허그를 해 준다. 아이들은 머뭇거리다가 수줍은 모습으로 허그에 답한다. 학주 샘과 선도부가 웃으면서 그 모습을 본다. 첫째 주를 지나 둘째 주에 이르면 아이들은 동물 인형들을 기억하고는 부담 없이 서로 안고 토닥여 줄 것이다. 깡충깡충 뛰는 애도 생길지 모르겠다.

수능을 끝낸 3학년 선배들이 아침 등교시간에 네 명이나 나와 주었다.

'하느님 감사합니다!'

또래끼리 원년 멤버로서의 애정이 남아 있었기 때문이다. 나는 뜨거운 감자를 잘 넘기기 위해 매번 나가서 선배들께 인사를 했다.

선배들이 인형 옷을 입은 채 등교시간을 지켜 주게 되면서 우리 동아리는 또 한 번 아이들의 주목을 받았다. 다음 학기 또래끼리에 들어오겠다는 아이들의 전화를 두 통이나 받았고, 수업에 들어오는 선생님들마다 내 이름을 다시 확인했다. 동아리 지도 샘과 함께 교장실로 불려가게 되었다. 아이들은 학년 선행상은 따 논 당상이라고 부러워했으나 나는 그런 걸 바란 게 아니었으므로 다른 쪽으로 일이 커질까 봐 불안하기만 했다.

"한유리. 교장 선생님이 부르시는 걸 보니 무슨 좋은 일이 있을 것 같은데."

"뭔데요? 별로 한 일도 없는데……."

"한 일이 없긴. 등굣길에 아이들 허그해 주는 건 정말 좋은 아이디어였어. 축제가 끝나도 계속 했으면 좋겠다."

노, 노, 노! 그건 아니지. 우리더러 매일 나오라는 건 아니겠지?

나는 머릿속으로 어떻게 빠져나갈까 생각을 쥐어짰다.

교장 샘은 나를 보더니 씩씩하게 생겼다고 말씀하셨다. "감사합니다!"라고 인사를 하는데 흥분했던 것일까? 하필 쉰 목소리가 나왔다. 조금 긴장하거나 피곤하면 이렇게 엉망인 목소리가 나온다. 나의 정체를 들킨 것 같은 느낌이었다. 모범 학생으로 교장실까지 불려갔지만 사실 나는 끊임없이 문제로부터 벗어나기 위해 꾀를 쓰는 문제아인 거다.

나는 또래끼리로부터 자유로워지고 싶었다. 그것도 근사하게 벗어나고 싶었다. 다만 그뿐이다. 거창한 사명감 같은 거, 혹은 깊은 철학 같은 거 없다.

"아침 등교 시간이…… 어디 보자, 이름이 한유리, 우리 한유리 때문에 훈훈해졌구나. 네가 생각해 낸 거니?"

"아, 뭐. 저희 동아리 애들하고 함께 생각했어요. 제가 임시 부장이니까 의견서를 낸 거구요."

"그렇구나. 참 좋은데 애들 그냥 안아 주기만 하는 건 좀 싱거운 거 같아. 그래서……."

인사를 하고 나서 나는 소파에 앉아 말씀하시는 교장 샘의 입만 쳐다보았다. 작은 키에 손발도 짧지만 한 가지 놀라운 점을 발견했다. 교장 샘은 말할 때 한 번도 윗입술을 움직이지 않는다. 웃을 때도, 인사할 때도 칭찬할 때도 교장선생님은 윗입술은 움직이지 않았다. 나는 속으로 생각했다. 소통되지 않는 입, 일방통행만 아는 입이다.

"요즘 학교마다 폭력 근절 캠페인을 하라고 지침이 내려왔거든. 그래서 이 두 가지를 함께 하면 어떨까 생각하는데?"

"어떻게 하면 되는데요?"

"동물 옷을 입은 친구들이 학교 폭력 근절 어깨띠를 두르고 허그 행사를 하는 거지."

선생님의 말을 듣고 보니 교통법규 지키라고 서 있는 교통경찰 도우미가 떠올랐다.

'으악, 이건 우리가 원하는 허그가 아니지! 폭력 근절하라는 홍보를 우리더러 하라고요? 우리를 그냥 내버려두시면 안 되나요?'

일단 축제까지는 캠페인을 병행하기로 했으나 그 이후의 일정은 축제가 끝난 후 결정하기로 했다. 하지만 나는 폭력 근절 캠페인을 하고 싶지 않았다. 물론 표창장이 탐나긴 했으나 상을 받으려고 가식적으로 살고 싶지도 않았다. 나에게는 백 건이 넘는 상담 사례와 또래끼리를 만들어 운영한 노하우가 남아 있었다. 하지만 정말 나에게 중요한 것은 내면적으로 아픈 누군가에게 진심이 담긴 위로를 하고 싶다는 마음 자세였다. 위클래스 선생님이 내게 주신 것처럼 말이다.

한바탕 유명세를 치른 후여서 그런지 본 행사인 마차제에서는 힘든 일이 거의 없었다. 아이들은 동물 인형 탈이 매우 익숙했기 때문에 허그도 자연스럽게 할 수 있었고, 염신애 엄마가 협찬해 주신 '하트 백설기'를 받으면서 손 하트를 날려 주었다. 남자애들은 키 높이가 맞지 않아 엉거주춤한 자세로 허그를 했지만 엉큼하게 꼭 끌어안는다거나 하반신을 비벼대는 일은 없었다. 백설기를 나르느라 바빠서 카톡을 하지 못했는데 선정은 병원에서 검사 결과를 기다리고 있다고 했다.

"너 또 공부하고 있지?"

– 아니. 병원이야. 검사하러 왔어.

"무슨 검사?"

– 이것저것.

"너, 그거 중병은 아닌거지?"

– 나도 알고 싶다. 도대체 1년이 넘도록 뇌수막염의 일종이라
  는 것밖에 몰라.

"뇌수막염은 예방 접종으로 사라지는 거 아냐?"

– 묻지 마. 그거랑 종류가 다르대. 나도 잘 몰라.

"좋겠다. 야자도 빠지고, 학교 행사 다 빠지고. 내신 점수만 챙기면 되잖아. 학교에서 그렇게 배려를 하니 보답을 해야지."

– 난 보답할 게 없는데⋯⋯.

"엄살은. 우린 이 털옷을 입고 학교를 벌써 몇 바퀴째 도는지 몰라."

– 허그는 몇 명이나 했냐? 한유리랑 내가 허그를 해야 하는데
  아쉽네.

"한 20명쯤. 이제 슬슬 접어야 할 것 같아."

– 유리 너 참 멋지다. 나도 한 번 안아 줄 거지?

"왠지 느물거리는 분위기가 느껴지는걸. 검사나 잘 받아."

– 수고. 난 한숨 잘게.

백설기 300개는 어두워지기 전에 다 동이 나고 말았다. 우리는 조를 나누어 돌기로 했으나 별로 힘이 들지 않았으므로 동아리실에 들어가지 않고 축제가 끝날 때까지 운동장을 배회했다. 운동장과 교정의 다른 부스들 사이를 어정거리거나 벤치에서 쉬었다. 동물 인형들을 보고 달려오는 아이들이 과자를 주기도 하고 부스에서 만드는 빈대떡이나 떡볶이를 주기도 했다. 마지막 행사인 초청 가수 공연을 보는 대신, 우리들은 역 앞에서 춤을 추는 아이를 구경 가기로 했다.

소년은 우리 학교 1학년생으로 전철역 앞에서 몇 년째 춤을 추고 있었다. 근처 휴대폰 가게에서 틀어 주는 음악 소리에 맞춰 악을 써 가며 공연을 하고 있다고 했다. 오래 연습한 동작에 놀라는 사람도 있었고, 뜬금없이 거리에 등장한 춤꾼 때문에 재미를 느끼고 모여드는 사람들도 있었다.

우리가 도착했을 때 이미 오래전부터 춤을 추고 있었던지 소년은 땀에 흠뻑 젖어 있었다.

"너무 아름다 아름다 아름다운 그대 내 님아 내 님아 내 님아……."

목이 잔뜩 쉰 채 음악에 맞춰 노래도 부르고 있었다. 나는 그의 목소리가 이미 진성을 다 써 버린 채 가성으로 나오고 있는 걸 알았다.

한 곡이 끝나자 여기저기 몰려 있던 사람들이 박수를 쳐 주었다. 자세히 보니 소년의 한쪽 다리는 비정상적으로 가늘고 목소리도 노래라기보다는 악을 쓰는 것이라는 생각이 들었다. 그럼에도 불구하고 소년은 너무나 열심히 춤추고 노래했다. 그 몰입에서 뜨거운 열기 같은 걸 느낄 수 있었다.

저녁 여덟 시가 되자 빗방울이 떨어지기 시작했다. 전철에서 쏟아져 나온 사람들이 또 소년을 에워싸고 있었다.

"쟨 왜 저러고 있대?"

진숙이 물었다.

"엄마가 가출해서 역 앞을 배회하다가 춤을 추게 되었다고 하더라."

"그럼 살짝 맛이 간 거 아니에요?"

이민주가 머리에 붙은 동물 털을 떼면서 말했다.

"맛이 갔다기보다는 자기 나름의 극복 방법을 찾은 거 아닐까?"

휴대폰 가게 안에 있던 직원들이 재생 목록을 뒤져 소년의 춤을 도와주고 있었다.

소년은 새로운 춤을 추기 위해 바지 위로 삐죽이 나와 있는 팬티를 집어넣었다. 땀이 흐르고 있는 이마 위에 비가 한 방울씩 떨어졌다.

"삼촌, 강남스탈 틀어 주세요. 싸이 걸로요."

휴대폰 매장 직원은 싱글거리며 곡을 틀어 주었다. 거리의 명물이 된 소년 덕분에 휴대폰 매장은 손님이 두 배는 많아졌다고 했다. 볼륨을 키웠는지 스피커에서 나오는 소리가 거리를 쥐고 흔들 듯이 쾅쾅 울렸다. 소년이 처음 이 거리에서 춤추던 곡이라고 했다. 그 전에는 조금 이상한 애로 불리다가 춤추는 애라는 타이틀을 갖게 된 첫 곡인 것이다.

이마는 땀방울과 빗방울이 뒤섞여 번들거렸고 목소리는 이미 쉬어 가슴 깊은 곳에서 끌어온 가성으로 노래를 부르고 있다. 술에 취한 아저씨들과 흥에 겨운 아이들이 소년의 노래를 따라 불렀다.

나는 소년이 낯선 거리에서 맨 처음 춤을 추기 시작했을 때를 상상해 본다. 아마 그때 사람들은 무관심하게 지나치거나 불편하게 생긴 아이 때문에 얼굴을 찌푸리며 쫓아 버리려 했을 것이다. 그런데 성치도 않은 팔다리로 나보다 더 탁성인 저 목소리로 이 거리를 장악했다. 그 시간 그 장소에 서서 온몸으로 노래하고 춤 췄다. 뭉클한 감동이 몰려왔다.

"야! 우리도 나가자."

이러고 있을 때가 아니었다. 나는 아이들에게 소리를 질렀다.

우리는 우르르 몰려 나가 소년과 함께 춤을 추었다. 음악을 따라 춤을 추는 것이 아니었다. 혼자라면 추지 못했을 막춤이 마구 쏟아져 나왔다. 봇물이 터진 것처럼 손과 발, 머리와 허리가 불규칙하게 움직였다. 몸놀림에 부끄러움이나 주저함 같은 것도 없었다.

아주머니들이 박수를 치며 보다가 음료수를 앞에 놔 주었고, 손을 잡고 뭐라 위로를 해 주기도 했다. 우리는 소년을 에워싸고 가사도 가물가물한 강남스타일을 떼창으로 불렀다. 하나의 음악이 끝나자 전철에서 나온 사람들이 박수를 보냈다. 유명한 아이돌 가수가 아니어도 소년은 진지했고 '또래끼리'가 축제 끝을 이 거리에서 보낸다는 게 신선하게 느껴졌다. 나는 "갈 데까지 가 볼까" 하는 노래를 따라 부르면서 이상한 홀가분함을 느꼈다.

잊지 못할 25회 마차제. 내 임무는 끝.

축제가 끝나고 '또래끼리'는 신입생 두 명을 더 뽑아 단합대회를 하러 갔다. 따뜻한 부산에서 몸을 풀고 다음 기수 회장을 뽑으면 된다. 캠페인 따위 개나 줘 버려! 더는 안 할래. 몇 주간 답답한 탈을 쓰고 지냈으므로 훌훌 털고 신나게 놀고 올 작정이었다. 내년 이맘때는 조금 더 홀가분해지지 않을까?

가방을 싸는데 기분이 이상했다. 벌써 졸업반이라니? 목줄 같은 게 탁 풀리는 날이 온 것이다. 내 삶을 온전히 책임질 수 있을까 궁금했다. 엄마는 통영에 들러서 사진 한 장 찍어 오라고 했다. 어릴 적 살았던 그곳의 반짝이는 바다를 잊을 수가 없다고 하는데 순진한 표정으로 빙긋이 웃는 엄마에게 그런 소녀의 모습이 남아 있나 싶을 정도였다.

"거기에 가면 용문달양이라는 동굴이 있어. 마음 울적할 때 이쪽 끝에서 들어가 저쪽 끝으로 나오면 기분이 달라져 있곤 했제. 부산 간다니 그 김에 통영도 들러 보믄 좋을 긴데."

"알았어. 이번에 동아리도 1학년한테 넘기면 진짜 입시에 몰빵할 거야."

"그러케 다짐하지 말라꼬. 살아 보이 우리한테 목표는 큰 의미가 없는 기라."

"뭔 소리? 엄마가 고3 되는 딸한테 할 소리는 아니지. 난 대학이라는 곳을 꼭 가 볼 거야."

"뭐가? 우리 딸 피아노도 잘 치고 노래도 잘 불러 성악할 줄 알았드만 지금 아무 상관없는 공부하고 있제? 엄마도 이렇게 고향 떠나 이 낯선 곳에서 횟집하고 살 줄 몰랐다. 자기를 사랑하고 하루하루 열심히 사는 기 전부라. 나머지에 미련을 갖는 순간 몸도 힘들고 괴로운 기제. 재미있게 잘 놀고 와. 어디서 뭘 해도 우리 딸이 최고인 기라."

"그만해 엄마, 남들이 고슴도치라고 다 놀려."

"놀리긴 누가 놀려? 진짠데."

뜨거운 감자를 멋지게 넘기게 되어 다행이다. 그런데 신입 두 명에 입학생 한 명만 더 들어온다 해도 그런대로 괜찮은 자율 동아리로 자리를 잡을 것이다. 동아리를 살릴 '백마를 탄 초인'이 오신다면 좋겠지만 그렇지 않더라도 조금씩 도와주면서 고3 시절을 보내려 한다. 이제 '유리수산' 라이터는 치워도 될 것 같다.

우리 여섯 명이 같이 놀다 오기로 한 곳은 애라 삼촌네 펜션이었다. 절친 애라는 '또래끼리'가 하던 허그를 선도부가 나서서 하겠노라고 교장 샘에게 말해서 학년 말 선행상을 받게 되었다. 자소서에 쓸 스펙을 찾던 애라에게는 정말 좋은 기회였기 때문에 우리가 쉴 곳을 제공해 준 것이었다. 2박 3일이라지만 학교 보충수업이 시작되기 전까지만 가면 되기 때문에 일주일은 맘껏 놀 수 있게 된 것이다.

"니 언제 올 끼가?"

"엄마, 주민증까지 나온 내가 얼라들처럼 엄마 집에 출석부를 찍어야 되겠어? 이번 동아리 행사에서 우리 동아리가 대박쳤거든. 엄마 딸이 스타가 되었다고."

"하이고, 뻥치믄 속을 거 같드나?"

"진짜라니깐. 아이들한테 물어봐."

"요즘 휴게소 같은데 중국인들이 장기 매매하려고 기웃거린다는데 혼자 막 나댕기지 마라."

"걱정 마. 공주는 몸을 함부로 놀리지 않는 법이야. 집에 무슨 일 있으면 전화하고! 집을 떠나려 하니 혼자 있는 엄마 때문에 걱정이 앞서네."

엄마는 주방에서 초장에 생강즙도 넣어 보고 연유도 떨어뜨려 보았다.

"고마워요 공주님. 엄 상궁 노심초사 빨리 돌아오시길 기다릴게요."

엄마가 새로 만든 초장 맛은 어떤 걸까? 새끼손가락으로 초장을 찍어 맛봤다. 텁텁한 맛이 너무 강해 이번 초장은 맛이 별로였다. 하지만 이렇게 찾다 보면 유리수산의 더 맛있는 초장이 개발될 것이다. 엄마가 내 엄마여서 너무 다행이다.

서울역에서 KTX로 차를 바꿔 타면서부터 나는 먼 여행을 떠나는 실감이 났다. 밤의 풍경이 쏜살같이 지나갔다. 며칠간 한마디 연락도 없는 선정에게 처음 카톡을 보냈다.

"나, 부산으로 뜬다. 기분 최고!"

– …….

답이 없다. 축제 후 별다른 안부를 보낸 적이 없었고 따로 만난 적도 없었다. 마지막 메시지를 확인해 봤다.

"유리 너 참 멋지다. 나도 한 번 안아 줄 거지?"

'전학생 쓰리 쥬금'이라고 씌어 있는 의자에 앉아 있는 선정.

머리가 아파서 늘 고개를 숙이고 있는 선정.

기말고사 폭망.

불안해진 나는 문자로 한 번 더 보냈다.

"자는 거야? 여친이 떠나는데 잠이 오냐고?"

― …….

나는 문자로 바꿔 메시지를 날렸다.

"아직 병원이야?"

역시 묵묵부답이었다.

"선정아?"

화면의 동심원이 블랙홀처럼 보였다. 검은 동심원은 빛을 빨아들이며 중앙으로 돌진해 들어갔다. 오후부터 무응답이었으나 따로 연락할 길이 없었다. 선정의 엄마에게 전화를 할 수는 없었으므로 속으로 발만 동동 구르다가 저녁 늦게 가게 대표 전화로 전화를 걸었다.

"감사합니다. 유리수산입니다."

선정 엄마의 목소리였다. 피로한 목소리였으나 평화롭고 무심해 보였다. 설마, 아무 일 없는 거겠지? 나는 아무 말 없이 전화를 끊었다. 내가 우려한 큰일이 난 것 같지는 않았다.

8
선정, 유성비를 만나다

회복실에 누워 있다가 아홉시 반쯤 옥상에 올라갔다. 응급실 복도에 놓여 있던 휠체어가 다 동나서 발을 동동 구르며 휠체어를 기다려야 했다. 척수 마취가 풀리지 않아 제대로 걸을 수가 없었기 때문에 두 사람의 부축을 받거나 휠체어를 타야만 움직일 수가 있었다. 한 시간 이상 하늘을 올려다보아야 했기 때문에 휠체어가 꼭 필요했다. 몸에서 많은 양의 물이 빠져나간 상태였기 때문에 다리는 후들거렸고 목을 가누기조차 힘이 들었다.

하지만 내가 기대하고 기대하던 밤이 온 것이다. TV 자막으로 계속 유성비 이야기가 노출되었다. 500여 개 이상의 별들이 쏟아질 것이라는 뉴스를 보면서 나는 고통을 삼킬 수가 있었다. 밤하늘의 축제를 보기 위해 나는 장장 열 시간을 견디고 버텨 왔던 것이다.

"엄마, 차에서 망원경과 담요 좀 갖다 주세요."

"어딜 가려고? 처방 받고 집에 가야지."

"병원 오기 전부터 말했잖아요. 오늘 밤하늘에서 유성비가 내려요. 스위프트-터틀 혜성 부스러기들이 떨어지는 거예요."

"선호한테 동영상으로 찍어 달라고 부탁하면 되잖아. 추운 곳에 있다가 몸 상할까 걱정이야."

"엄마!"

"…… 몸 상할까 봐 그래."

"좀! 오늘 한 번만 내가 하고 싶은 거 하게 해 주면 안 돼요?"

나도 모르게 짜증을 내고 말았다.

"몸 생각을 해야지."

"엄마, 나 왜 이렇게 살아야 해요?"

"종일 먹지도 못하고 검사를 받았어. 뇌압 때문에 언제 쓰러질지도 모르는데 새벽까지 추운 데서 벌벌 떨며 있겠다고?"

"오늘 밤 12시 30분이면 끝나요."

"넌 정말…… 인생 포기한 거야?"

"엄마야말로 내가 안 보여요?"

엄마는 한숨을 쉬고 내던지듯 말했다.

"알았어. 마음대로 해."

휠체어를 타고 올라간 병원 옥상은 굳게 잠겨 있었다. 이곳에는 하늘을 바라볼 수 있는 트인 공간이 없었던 거다. 내가 안절부절 못하자 엄마는 병원을 나가서 찾아보자고 말했다. 집으로 가는 길에 밤하늘을 볼 수 있는 곳을 찾게 된다면 거기서 별을 볼 수 있지 않겠느냐는 것이다. 온종일 되는 일이 없었다. 간호사는 혈관을 못 찾아 다섯 곳이나 내 몸을 찔러댔고, 척수 마취가 잘못되었는지 마취가 풀릴 때 머리가 쪼개지는 것처럼 아팠다. 후유증이 오래갈 것 같았다. 하지만 오늘이 유성비가 내리는 날이기 때문에 견딜 수 있었던 것이다.

나는 마음이 급해서 재촉을 했는데 엄마는 내 마음만큼 빨리 움직이진 못했다. 휘청대는 내가 무거웠기 때문이다. 엄마는 자꾸 내 팔을 잡으려고 했다.

차를 타고 병원 주위를 몇 번이나 돌았다. 거대한 병원이 환한 빛을 뿜고 있었기 때문에 근처에서 별을 볼 수가 없었다. 임시주차장이라 붙여진 곳으로 달려갔을 때 트인 검은 하늘이 거기 펼쳐져 있었다. 다른 건물들보다 높은 지대에 세워진 병원 밑으로 새로 주차장을 짓느라 평평하게 땅을 깎아 놓아서 반대편 고가도로를 정면으로 바라볼 수 있었다. 병원에 올 때 지하 주차장이 만원이라 공터에 지어진 야외 주차장에 차를 세웠는데 이렇게 혜택을 보는구나 싶었다. 차 안에서 하늘을 볼 수 있는 최적의 공간이었던 것이다.

"엄마 오늘은 꼭 보고 가야 해요."

"몸이 못 견딜 텐데?"

"견딜 수 있어요."

"별 떨어지는 게 뭐가 그리 중요하다고 그러는 거야?"

"앞으로 다시는 못 볼 거니까요."

"정말 그렇대? 휴대폰에 저장해야겠구나."

"제가 보낼 테니 엄마는 눈 좀 붙여요."

내가 수시로 카페를 들락거리며 밤하늘을 관찰하는 동안 엄마는 운전석에서 낮게 코를 골며 잤다. 오늘 하루 엄마도 나만큼 진을 뺐던 모양이다. 모두들 하늘을 보고 있는 걸까? 별다른 소식이 올라오지 않았다. 하루 종일 굶은 배에서는 계속 꼬르륵 소리가 났지만 엄마가 끓여 온 보리차로 입만 축였다.

열 시 반이 넘어 하얀 실선 하나가 희미하게 하늘에 나타났다 획 사라져 버렸다.

'아, 시작이다.'

스마트폰 카메라로 찍을 준비를 하고 기다렸다. 10여 분 후에 다섯 개가 한꺼번에 획 사선을 긋고 날아갔다. 아직 희미한 색이다. 나는 셔터를 눌러 내 폰에 담았다. 다섯 명의 아이들이 말을 걸고 가 버린 느낌이었다.

열한 시가 넘자 밤하늘에 수많은 빗살무늬로 별똥별이 도드라졌다 사라져 갔다. 이 중에 운석으로 지구에 도달하는 아이들도 있고 우주에서 폭발해 사라지는 아이들도 있는 거다.

'안녕, 반가워.'

– 안녕! 선정아. 오늘 힘들었지?

'너희는 어디로 가는 거니? 나처럼 사라지고 있는 거니?'

– 아니, 우린 초신성이 만들어 준 애들이야. 사라지는 게 아니라 새로 시작하는 거지.

카페에 사진이 올랐다. 똥별 샘이 손가락으로 유성을 가리키는 셀카 사진이었다. 그 뒤로 너도나도 인증샷을 올려 보냈다. 자정이 넘자 마치 시간을 거슬러 잠깐 대낮이 된 것처럼 환한 느낌이 들었다. 나는 조수석 의자를 뒤로 젖히고 빛 속에 빠진 것 같은 벅찬 기분을 느꼈다. 하늘 전체가 유성으로 가득 찬 것 같았다.

엄마가 눈을 뜨고 나를 바라보는 것도 알지 못할 정도로 황홀한 밤이었다.

"소원 빌었니?"

"......"

"왜 대답이 없어?"

"엄마 이렇게 엉망으로 만들어서 정말……미안해요."

"그게 무슨 소리야? 네 탓이 아니잖아."

"내 탓이에요. 엄마가 아무리 그렇게 말을 해도 우리가 감당할 수 있는 일이 아니라구요."

"그럼 그걸 누가 감당해?"

"그러니까요……. 엄마 아빠가 무슨 죄가 있냐구요."

"선정아, 시간을 믿어. 그리고 방법을 찾아보자. 엄마 믿지? 엄마가 몸이 부서져도 너를 구할 거야."

나는 엄마의 말이 '너무 힘들어!'라는 말보다 더 끔찍하게 들렸다. 500여 명의 아이들이 내게 말을 건네고 가는 동안 나는 그 말들을 하나도 알아들을 수가 없었다. 누군가 내 목을 꽉 움켜쥐고 점점 조여 오는 것만 같았기 때문이다.

심야 고속버스 승객들은 낮게 코를 골면서 잠을 자고 있었다. 차창으로 하늘을 올려다보았을 때 탁하고 흐린 먹빛 하늘이 연속으로 펼쳐져 있었다. 그곳엔 아무것도 없었다. 그날 병원 주차장에서 보았던 수많은 유성들을 기억한다. 축제와 소멸은 늘 맞붙어 있는 것 같다. 유성 쇼를 보고 나서, 차 속으로 쏟아져 내리는 유성 비를 보면서 나는 계속 죽음을 생각했다. 오랫동안 내 죽음의 형태가 어떠할지 생각하고 있었던 것 같았다. 산책로 부근의 기찻길. 무인 건널목. 별을 보면서 죽을 수 있는 가장 적절한 곳이었다.

두려움을 이기려고 소리를 지르며 달려오는 기차를 견디려 했다. 그런데 기차는 내가 기억하는 시커먼 색이 아니었다. 눈을 뜨고 바로 볼 수 없을 정도로 밝았다. 세 대나 기차를 그냥 보냈고 소주와 함께 먹었던 모든 음식물을 게워냈다. 어디선가 여자의 강렬한 비명소리를 들은 것 같았다. 이게 무슨 소리지? 나는 메마른 억새들 사이를 기어 기어 너럭바위에 도달했다. 오한 때문에 몸은 떨리는데 자꾸 잠이 왔다. 잠에서도 계속 기차가 달려왔다. 기차에 절단된 몸이 억새풀 사이로 뒹굴고 있을 걸 생각하자 오싹 소름이 돋았다. 억새 흔들리는 소리가 스산하게 들려왔다.

아홉 시 삼십 분 막차까지 가 버리고 나서는 죽음보다 강렬한 빛을 보고 싶다는 욕망이 터질 듯 부풀어 올랐다. 그때 떠오른 것이 용문달양⁴이었다. 유리가 가 보자고 했던 동굴.

춥고 무서웠다. 어디론가 가야 한다. 이대로 집으로 돌아가선 안 돼. 난 어딘가에서 폭발해 버릴 거야. 더 이상 짐이 되어 살 순 없었다. 그리고 생각했다. 어디로 갈 것인가? 버스가 있는 걸까? 폰을 뒤져 보니 통영행 심야 고속버스가 있었다. 음식 찌꺼기가 묻어 있는 잠바를 너럭바위 위에 던져 놓고 나는 버스에 올랐다. 그곳으로 가야 한다. 남쪽으로 가는 심야 버스가 있는 게 다행이었다. 온몸에서 시큼한 냄새가 가시질 않았다.

"거기 용문달양이 있죠?"

나는 추위 때문인지 온몸이 덜덜 떨렸다. 술이 깨면서 머리는 점점 옭죄어 오고 있었다.

"글쎄. 난 잘 모르는데…… 미륵산이 있는 건 알아."

"바다를 건너 미륵산까지 뚫어 놓은 해저 터널이래요."

"요샌 학생들이 더 똑똑하다니까. 도착해서 한번 물어봐."

용문달양: 통영시 도천동과 미수동을 연결하는 해저터널로 1931년 착공해 2005년 통영시가 관리하고 있는 문화재. 문을 통과하면 빛에 도달한다는 뜻.

휴게소를 몇 차례 통과하는 동안 나는 계속 잠만 잤다. 며칠 동안의 굶주림과 고통과 절망감이 자꾸 나를 잠으로 이끌어 고개가 뻐근해질 정도로 자다 깨기를 반복했다. 중간에 탄 사람들이 내 곁에 앉으려다가 코를 막고 다른 쪽으로 피해 앉았다. 주위에 앉아 있던 사람들도 힐끔힐끔 나를 살피다가 목적지에서 내렸다. 무겁고 안락한 중력이 내 몸을 끌어내려서 눈을 내리깔게 만드는 것 같았다.

핸드폰은 꺼 놓고 열어 보지도 않았다. 끝까지 희망을 버려선 안 된다고, 무슨 짓을 해서라도 고치고야 말 것이라고 엄마는 말할 것이다. 노력하면 잘살 수 있다는 패러다임에 갇혀 있는 엄마가 나를 감당할 수 있을까? 원인을 모르고 치료법도 없다. 달이 차고 기울 듯 몸에 물이 가득 차는데 빠지지 않아 죽을 때까지 주기적으로 물을 빼 주어야 한다. 저항력이 약해지면 합병증이 생기며 그 결과는 예측할 수 없다. 살다 보면 좋아질 날이 있을 거라고 했지만 그러기 전에 우리 집은 파산하고 말 것이다. 마셨던 소주 때문인지 목이 타는 듯이 죄어 왔다.

왼쪽 좌석에 젊은 남자가 앉아 있었다. 갓 깎은 듯한 머리가 푸른빛으로 빛난다. 머리카락이 아직 자라지 않을 걸로 보아 군복무자이거나 제대하고 가는 길 같았다. 남자는 꼿꼿한 자세로 머리를 창문에 대고 골똘히 뭔가를 생각하기도 하고 의자를 뒤로 젖히고 누워 있기도 했다. 다른 사람들은 나를 피해 앞뒤로 흩어졌는데 젊은 남자는 경계하는 빛이 없었다. 중간 중간 음악을 바꾸는지 핸드폰을 들여다보며 몸을 흔들었다.

"저, 죄송한데요."

내가 통로 쪽으로 다가가자 남자는 이어폰을 빼고 나를 보았다. 어디선가 본 듯한 얼굴이다.

"물 좀…… 주세요. 목이 너무 말라요."

잠깐 경계하는 눈빛이었으나 남자는 말없이 500밀리 생수병을 주었다. 물을 받아 내 자리로 돌아왔다. 나는 기차 길에 잠바와 양말을 벗어 놓고 미친 듯이 달려온 것이다.

물이 요란한 소리를 내면서 목울대를 넘어갔다. 나는 순식간에 물병을 비우고 양쪽 팔을 문질렀다. 취기와 갈증이 한 번에 해결되는 것 같았다. 대신 온몸이 얼어붙을 것 같았다. 기찻길에 잠바를 버려두고 급히 온 걸 후회했다. 터틀넥 티셔츠 하나만으로는 추위를 이길 수가 없었다.

"잠바가 없나 봐? 날이 이렇게 추운데."

남자는 눈을 반짝이며 물었다. 웃는 듯한 눈이 나와 닮았다. 나는 고개를 끄덕였다. 뭘 챙겨 입고 올 정신이 없었다. 남자는 빵빵한 배낭을 열어 잠바를 꺼내며 말했다.

"이거라도 입어. 우리 일할 때 입는 작업복인데 얇아 보여도 따뜻해."

"감사합니다. 이거 돌려드려야 하는 거죠?"

"아니, 다른 현장에 가는 길이라 필요 없어. 그 현장에서 나눠 주는 작업복 얻어 입으면 돼."

잠바에서는 상쾌한 세제의 냄새가 났다. 얼마 전 세탁을 한 옷인 것 같다.

"어디 가세요?"

"제주도. 요즘 인력이 딸린다고 해서 가는 길이야."

"어느 쪽이요?"

"아라동 근처."

"거기 이번에 운석이 많이 떨어졌는데⋯⋯."

"운석이라고? 별똥별 찾아다니는 학생이구나. 그걸 왜 그렇게 비싸게 사는지 이해가 안 돼, 나는."

"비싼 것도 있고 싼 것도 있어요. 성분이랑 시기에 따라 달라지거든요."

"근데 쓰레기장 이런 데도 뒤지고 다니는 거니? 차림새를 보니⋯⋯."

형은 내 모습이 거지같다고 생각을 한 것 같다.

"쓰레기장이라도 운석이 있다면 뒤져야겠죠. 옛날부터 운석이 행운을 가져온다는 미신이 있었어요."

나는 말동무가 생긴 게 반가워 그냥 앉아 있을 수가 없었다. 형은 한쪽 이어폰을 뺀 채 내 말을 들어 주었다.

"생각해 보세요. 몇 광년이나 떨어진 미지의 세계에서 여기까지 날아온 거니까 불가사의하잖아요."

형은 시큰둥한 표정이었다. 그게 나랑 무슨 상관이냐 하는 표정이었다.

"이건 비밀인데요. 특히 젊은 남자한테 아주 좋아요. 가지고 있으면 예쁜 여자를 아내로 맞을 수 있거든요. 서울 어느 백화점에서 항아리만 한 거 전시해서 사람들 엄청 몰렸잖아요."

"엉, 그런 일이 있었어?"

형의 표정이 금세 바뀌었다.

"예. 서울 강남 H백화점요. 그게 다 운석의 힘을 알고 있는 사람들을 겨냥한 거거든요."

"그럼 그렇지, 왜 그렇게 난리인가 생각했다니까. 예사롭지 않다 했더니 대박 날 애였구나, 네가."

형은 쉼 없이 중얼거리면서 핸드폰을 꺼냈다.

"너 왠지 나랑 다시 만나야 할 것 같아. 전번 좀 따자."

나는 형 핸드폰을 받아 번호를 저장시켰다. 작업복은 얇긴 했지만 추위를 면하기엔 적당했다.

"어느 쪽으로 가는데? 나도 일찍 끝나면 가 보게."

"저는 친구를 만날 거예요. 걔가 용문달양이라는 동굴에 같이 가자고 했거든요. 형은 어디로 가세요?"

"응. 통영에서 배를 타야지."

"그럼 시간 날 때 전화 주세요. 이름이?"

"이름? 그냥 말뚝이라고 알아 둬. 넌 이름이 뭐니?"

"전 우주소년입니다."

"푸하하. 우주소년. 그래서 운석을 발견했어? 돈 좀 벌었냐고?"

"아직. 이번이 처음 번개 하러 가는 길이에요."

나는 말을 하면서 핸드폰 전원을 켰다

벌떼처럼 메시지와 카톡 문구들이 아우성을 질러댔다.

– 선정아 어디니?

– 너 이상한 생각하면 안 돼.

– 의사 선생님이 조금씩 나아지고 있다고 했어.

– 제발 돌아와…….

나는 엄마의 메시지를 화면에서 내려 버렸다. 나아지고 있다고?
희망고문이다, 엄마는 나 때문에 평생을 울며 지낼 사람이었다. 그
렇게 살 수는 없었다.

형은 배가 고프다면서 밥을 함께 먹자고 했다. 나는 속이 울렁
거리고 몸이 괴로웠으나 너무 이른 새벽이었으므로 형을 따라 해
장국집으로 따라갔다.

해장국집 유리창은 습기 때문에 생긴 물방울이 줄줄 흘러내리
고 있었다. 밤샘을 한 사람들이 많아 장터 같은 분위기였다.

"이 집 음식이 맛있거든. 어쩌다 와도 이렇게 왁자하고 활기가

넘쳐."

형은 주인에게 손가락 두 개를 펴 보이며 주문을 했고, 주인은 금세 해장국을 챙겨 내왔다. 단골인 모양이었다.

"너 그런데 좀 심상치 않은 데가 있다. 똘똘해 뵈는데 왜 이러고 다니냐?"

"차멀미를 심하게 해서요."

"내가 객지 생활 꽤 했거든. 어디가 아프거나 무슨 고민이 있는 거 같단 말이야."

"고민 없어요."

"어쭈, 어른 흉내 제대로 내는데. 별을 쫓아다니는 어른 코스프레 소년이라……."

"해결되지 않는 건 고민해 봐야 소용없잖아요."

"네 말이 맞다. 얼른 먹어."

나는 속이 울렁거려 더 앉아 있을 수가 없었다. 문을 열자마자 내 몸에 있던 마지막 알콜이 다른 음식과 함께 섞여 나왔다.

입에서 나올 것은 더 없었으나 나는 일어나지 못하고 주저앉았다. 자동차들이 지나가면서 먼지를 뿜어댔다. 누군가 내 등을 두드리다가 따뜻하게 어루만져 주었다. 거친 손바닥에서 서걱서걱 소리가 들렸다.

"저기, 이상하게 듣지는 말고 너 조금 씻고 가야 할 거 같은데 이걸로 목욕탕이라도 들렀다 가라."

형이 작업복 주머니에 뭔가를 넣어 주었다.

"난 일찍 제주항에 도착해야 해서 지금 가 봐야 해. 운석 찾으면 꼭 연락하고……. 내가 장가는 꼭 잘 가야 하거든."

"장가는 왜요?"

"좋은 여자를 만나야 우리 할머니랑 알콩달콩 살지."

"운석하고 장가가 무슨 상관이에요?"

"니가 그랬잖아, 임마. 술 취했니?"

"그냥 카더라 통신이에요. 흘려버리세요."

"왜 이랬다 저랬다 해? 진정한 덕후는 강한 믿음이 있어야 하는 거야."

나는 척수 마취 후유증으로 극심한 두통을 느꼈다. 고개를 들 수가 없었다. 쭈그려 앉은 다리 사이로 고개를 숙인 채 끄덕였다.

형은 조금 껄렁해 뵈지만 상대방을 편안하게 하는 사람이었다.

"차 시간이 돼서 간다. 나중에 전화해도 되지?"

"맘대로 하세요. 잘 가요, 형."

고개를 들어 항구 쪽으로 걸어가는 형의 뒷모습을 바라보았다. 커다란 배낭을 짊어지고 가는 모습이 소라게 같았다. 나는 화장실에 들러 나의 얼굴을 바라보았다. 얼굴에는 음식물이 붙어 있고 머리에는 마른 풀들이 지저분하게 얽혀 있었다.

나의 모습을 보고도 옷과 돈을 준 형이 대단한 사람 같았다.

화장실에는 온수가 잘 나왔기 때문에 머리와 얼굴, 손을 꼼꼼하게 씻고 대합실 의자에 걸터앉았다.

유리에게 전화를 걸었을 때는 아직 어둠이 사라지지 않은 새벽이었다. 유리를 다시 만나리라고는 생각도 못했지만 내가 여기까지 온 것은 어떤 희망을 잡고 싶어서인 게 분명했다. 아니면 마지막으로 유리나 뚱별 샘을 보고 싶어서인가? 유리가 내게 해 줬던 말들은 어떤 것보다도 선명하게 기억하고 있다.

통과하면 빛을 볼 수 있을 거란 동굴.

800종류 이상의 버섯을 기른다는 죽은 나무.

이렇게 막다른 골목에서 생각나는 사람이 가족이 아니라는 게 이상했다. 엄마에게는 늘 채무감이 있었다. 나를 위해 너무 많은 것을 희생하고 그런 희생을 드러내며 결과를 내놓으라고 강요하는 집주인의 이미지 말이다.

유리는 달랐다. 미안한 감정이 있긴 했지만 채무감 같은 건 없었다. 게다가 요란을 떨지 않으면서도 꿋꿋하게 잘 살았다.

유리는 잠이 덜 깬 목소리였다.

"김선정, 왜 그렇게 전화를 안 받았어?"

잠에 취해 말끝이 풀어지는 걸 보니 동아리 아이들과 밤새 놀고 얼마 전 잠이 든 것 같았다.

"나 통영이야."

"뭐? 통영이라고?"

"갑자기 올 일이 생겨서……. 바쁘니?"

목소리가 이상하게 자꾸 떨렸다. 다시는 못 만날 줄 알았던 유리의 목소리를 듣게 돼서 기분이 이상했다.

"아니, 근데 일부러 온 거야?"

"아니야."

"갑자기 웬 바람이 불었어? 계획에도 없던 일이잖아."

"카페 번개야. 너 잠깐 보고 가려고."

"잠깐?"

"부산서 여기까진 머니까 피곤하면 안 와도 돼."

"세상에……. 그 먼 길을 와서 목소리만 듣고 가는 게 말이 돼? 정말 아무 일도 없는 거야? 일어나서 얼른 갈게."

얘는 왜 이렇게 살가운 거지?

나는 먹먹해져서 바보처럼 서 있었다. 차림은 엉망이었고 무엇보다 토사물이 여기저기 튀어 냄새가 사라지질 않았다. 유리는 졸려서 더 말을 못하겠다고 하고는 문자로 위치와 시간을 알려 달라고 했다.

"왜 그래? 또 머리 아픈 거야?"

"……."

"너 혹시 병원에서 무슨 일 있었던 거 아냐?"

유리는 대답을 들을 생각도 없이 계속 다른 것들을 물어보았다.

"아니. 기다릴게. 꼭 올 거지? 기다려도 되는 거지?"

"그래. 어디 가면 안돼."

나도 모르게 본심을 내보이고 말았다. 나는 분명 이곳으로 오지 않겠다고 했었다. 유리가 뒤에 뭐라고 말하는 것 같았으나 하나도 귀에 들어오지 않았다. 내 내면에서 유리를 강렬히 원하고 있다는 걸 알았다.

죽어 가는 별들이 내는 강렬한 빛.

나는 통영터미널에서 삼각 김밥으로 허기를 때우고 계속 유리를 기다렸으나 전화는 하지 않았다. 오라고 강요는 할 수 없는 노릇이었다. 빠른 길 안내를 두드려 보니 부산에서 이곳까지 두 시간 반이나 걸리는 거리였고 나는 너무 갑작스럽게 등장해서 유리의 스케줄을 헤집어 놓은 셈이었다.

유리창 밖으로 겨울 햇살이 내려오고 있었다. 부드럽고 고운 빛이다. 바람만 없다면 봄이나 가을이라고 해도 믿을 수 있을 것 같았다.

편의점에는 진통제가 없었으므로 근처 약국이 문을 열 때까지 지끈거리는 머리를 참는 수밖에 없었다. 편의점 안이 따뜻했으므로 밖으로 나가지 않고 의자에 앉아 창밖을 내다보았다. 소라게 같은 커다란 배낭이 터미널 앞을 서성거리고 있었다. 반달형으로 웃고 있는 눈매가 낯익었다. 항구로 가겠다고 하더니 다시 돌아온 건가? 내가 아는 체를 하려고 창 쪽으로 다가가자 말뚝이형 쪽에서 먼저 나를 알아본 것 같았다. 형이 손을 흔들었다. 기분이 이상했다.

"여기 있었구나. 아침부터 놀라서 허겁지겁 뛰어왔네. 너 말야."

무엇 때문에 흥분을 했는지 형은 계속 말을 더듬었다.

"우리 할머니랑 통화하다가…… 새봄슈퍼…… 알지? 옷을 놔두고 갔다고 해서 내가 깜짝 놀랐어. 너지? 너 맞지?"

"……."

"새봄슈퍼. 너 근처에 갔던 거 맞지?"

자전거 체인을 감아 주었던 곳, 음료수를 건네던 할머니, 소주 세 병을 사러 들렀던 가게, 달려오던 기차, 찢어질 듯한 비명 소리……. 눈을 뜨고 형을 보았을 때 할머니의 옆얼굴이 보였다. 할머니의 비명소리가 맞았구나. 할머니 얼굴 위로 억새풀이 춤추고 기차가 지나간다.

"그래. 아침에 전화를 했더니 할머니가 이상한 소릴 하는 거야. 간밤에 끔찍한 일이 있었다고 하더라고. 경찰을 불렀을 땐 겉옷이랑 운동화를 벗어놓은 채 어디론가 가 버렸다고."

'돈 벌러 다닌다는 손자였구나.'

나는 흰 실내화를 가렸다.

오전이 지나면서 다양한 차림의 사람들로 터미널은 활기를 되찾아 가고 있었다. 서울 쪽보다 가벼운 차림이었고 몇몇 사람들은 허리에 잠바를 묶기도 했다. 나는 터미널 직원에게 부탁해 스마트폰을 충전했고 마음속으로 '온다, 안 온다' 반복하며 꽃잎 점을 치고 있었다.

"할머니 이야길 듣고 얼마나 소름이 끼치던지."

내가 별 반응을 보이질 않자 형은 입맛을 다셨다.

"물론 내가 상관할 바는 아니지만 말야."

"형, 저 이상한 짓 하려고 온 게 아니에요. 친구 만나서 가 볼 데가 있다구요."

"그래. 친구가 오면 우리 헤어지자. 우리 일행이 먼저 가서 나도 심심하고 외롭거든."

유리가 온 것은 내가 꽃잎 점을 친 지 두 시간이 지난 후였다. 자리에 앉았다 일어섰다 화장실에도 다녀왔다가 노선표도 보면서 간신히 그 자리를 지켰다. 말뚝이형은 짐을 베개 삼아 기대어 잠들어 있었다. 형과 이야기를 하고 있는 동안에는 그러지 않다가 침묵이 흐를 때 내 귀에는 계속 기차 달려오는 소리가 들렸고 억새를 흔드는 바람 소리로 어수선했다.

영화 〈레옹〉의 마틸다처럼 깡뚱한 머리. 여전히 입만 동동 뜨는 우스꽝스러운 화장.

유리는 싸울 듯이 도발적으로 걸어오고 있었다.

게다가 선글라스까지.

"너?"

"미모가 너무 출중해졌나? 조금만 분위기를 바꿔도 어리바리 모드로 돌변한다니까."

"왜 이렇게 늦게 와?"

"진짜 멀다. 이 정도인 줄 모르고 덥석 오겠다고 했네. 너 근데 웬 작업복을 입고 있나?"

"이 형이 입으라고 준 거야."

말뚝이형이 눈을 뜨고 유리를 훑어보았다.

"오, 여자친구였어? 능력자라니깐."

"예."

"우리 어디 가서 맛난 것 좀 먹을까요?"

말뚝이형이 유리를 보고 급 존대로 말투를 바꿨지만 유리는 쌀쌀맞게 거절했다.

"저는 생각이 없어요. 차멀미에 시달려서 좀 괴롭네요."

"그럼 못 오겠다고 전화를 하지 그랬어."

나는 속으로 유리를 오게 한게 괜한 짓이었나 계속 후회하고 있었다.

"내가 안 왔으면 얼마나 섭섭했겠니? 앞에 PC방에라도 가 있었으면 기분 좋게 만났을 거 아냐."

PC방은커녕 앉아 있는 것도 힘이 들어 아무 생각을 하지 못했다. 유리를 만나면 용문달양이라는 해저 터널로 달려가야겠다는 생각만 하고 있었다. 환한 빛을 보고 싶다는 간절한 갈망. 계속 목이 말랐다. 유리가 안 온다고 했으면 바로 제주도로 떠나려고 했었다. 유리는 내가 왜 이렇게 다급한 마음인 줄 알 리가 없을 것이다.

"친구를 보니 맘이 좀 놓인다. 그럼 좋은 시간들 보내. 제주도에 오면 꼭 연락해."

말뚝이형은 큰 배낭을 가볍게 지고 터미널을 빠져나갔다. 형이 준 잠바의 냄새를 맡아 보았다. 아직도 향긋한 섬유 유연제 냄새가 남아 있었다.

"우리도 버스 타고 가자."

"어디?"

"거기…… 용문달양."

"아, 거길 가려고 온 거구나. 그걸 기억하고 있었던 거야?"

유리가 지도를 보더니 그냥 걸어도 되겠다고 했다. 내 몸의 상태를 모르는 유리는 뚜벅뚜벅 앞서 걸어갔다. 시간으로는 십오 분 정도 걸리는 거리라고 했다.

겨울 날씨치고는 따뜻한 편이었으나 털이 없는 작업복으로는 감당하기 어려웠고 두통이 가장 큰 문제였다. 자주 재채기를 했고 코를 훌쩍거렸다. 어딘가에서 몸을 좀 녹이고 싶었다.

"애들하곤 재미있게 놀았어?"

나는 유리의 기분을 맞춰 주기 위해 동아리 합숙에 대해 물어보았다.

"놀자고 간 거니까 당근 재밌었지. 야자타임 했는데 1학년 기집애들 별걸 다 시키는 거 있지. 노래방 가서 소리 지르고 춤추고 난리도 아니었어. 축제 전까지 정말 힘들었는데 다 끝나니까 정말 홀가분해."

"유리야 나랑 약국에 좀 들르자. 먹을 약을 안 챙겨서 진통제를 좀 사야 해. 좀 사다 줄래?"

"뭐, 어려운 일은 아닌데 같이 가면 안 돼?"

"난 다른 약국에서 사려고."

"왜?"

유리가 선글라스를 내리며 나를 쳐다보았다. 눈이 충혈된 걸 보니 어젯밤 피로가 아직 풀리지 않은 것 같았다.

"두통이 심해서 한 알로는 안 돼."

유리는 할머니처럼 혀를 쯧쯧 찼다.

"젊은 애가 안됐다."

"뭐래니?"

약을 먹으니 머리카락을 잡아끄는 듯한 고통이 사라졌다.

"아프다면서 약도 안 챙기고 뭐했어?"

"그러게 말이야. 갑자기 오게 돼서……."

"진지충이 이상한 일이네. 너 무슨 일 있었지? 솔직히 말해."

"없어. 이제 뚱별 샘 볼 일도 없을 테니 마지막으로 만나 보려고 여기까지 온 거야."

"마지막? 대학 가서 보면 될 거 아냐."

"대학? 내가 갈 수 있을 거 같니?"

"그럼. 우리나라에 대학이 몇 개인 줄 알아?"

"197개라던데."

"그래. 그렇게 많은데 왜 못 가?"

"네 말이 맞다. 하지만 난 정상적으로 살긴 글렀어."

"닥치셔. 왜 그렇게 비관적인데?"

"그만하자. 아무튼 내가 우리 집안의 블랙홀이라는 것만 알아 둬."

"그게 반전이 될 수도 있잖아?"

이젠 정말 다 틀렸어. 나는 속으로 말했다.

'잘 살아. 정말 미안했어, 유리야.'

"금방 가야 해. 배 시간 맞춰야 하거든."

"하여튼 싸가지라니까. 너는 지금과 똑같은 상황이라면 날 만나러 오지도 않았을 거야."

"왜 그렇게 단정하는 거니?"

"내가 전학 온 첫날 말했잖아. 넌 권력 지향적이고 세속적이라니까. 나한테 물었으면 맥락을 알려줘야 할 거 아냐?"

"한유리. 참고는 할게."

'용문달양' 동굴은 2, 3층짜리 기념 건축물 같은 모양이었다. 사람들이 손으로 파 내려갔다는 유래담과 빛을 볼 수 있을 거란 거창한 이름 때문에 오해를 받았을 것처럼 보였다. 우리는 표지판을 보고 안쪽을 두리번거렸다. 색다름이 있는 걸까? 아무리 둘러봐도 나타나지 않는다. 겨울 날씨치고는 따뜻해서 아직 두꺼운 파카는 눈에 띄지 않았다. 맨손으로 판 동굴이라고 하더니 곳곳에 시멘트가 발라져 있었다. 70년이 지나면서 흙은 무너져 내리고 이름은 퇴색해 버렸다.

구경 온 관광객들이 안내문을 읽어 내려갔다.

"그런데 왜 이렇게 거창한 이름을 붙인 거지? 나처럼 빛이 필요한 사람들이 이 굴을 보고 무슨 생각을 하게 될까? 더 절망에 빠지는 거 아닐까?"

"다시 한 번 희망을 생각해 봐라 이런 의미도 되는 거지."

"납득되지 않는 희망은 고문일 수도 있어."

"그건 맞는 말이야. 그런데 선정아, 이렇게 살아남으려고 애쓰는 걸 존중해 주면 안 되겠니?"

발병하기 전까지 가족을 넘어 친척들의 기대를 한 몸에 받던 나를 근거도 없이 믿음도 없이 세뇌시키고 또 세뇌시킨다. "방법이 있어, 있을 거야!"

한 떼의 아주머니들이 나에게 사진을 찍어 달라고 부탁했다. 나는 스마트폰을 잡고 버튼을 눌렀다.

"어린 학생이었구만. 젖살이 아직도 안 빠졌는 갑다. 고마운데여 꿀빵 하나 무 보이소."

친목 모임인지 비슷한 차림새로 형님, 동생 챙기면서 아주머니들은 꿀빵을 건네주었다. 그러고는 맘껏 웃으며 포즈를 취했다. 엄마와 같은 또래들이다. 그늘이 없이 입을 크게 벌리고 웃는다.

굴의 표면은 향토 유적지라기에는 조금 산만했다. 중간 중간 안내문이 있었는데 반짝이는 라인 등을 달아 포장마차 분위기가 나기도 했다. 마치 '잘 될 거야'를 노래 부르는 어른들 목소리와 같이 용문달양이라는 이름과 겉돌며 번쩍거린다.

"우리가 너무 이름에 현혹되어 있던 게 아닐까? 이런 게 빛이라면 우리 주위에도 널려 있는데 말이야."

나는 회벽을 쓰다듬으며 말했다.

"그래도 자기 사는 곳에서 뚝 떨어져 볼 필요가 있어. 나를 제대로 보기 위해선 이런 쇼가 필요한 거지."

굴의 천장에는 현란한 조명이 색색으로 켜져 있었다. 손으로 파들어갔다는 말이 믿겨지지 않을 정도로 높았고 콘크리트로 튼튼하게 발라 놓아서 무너질 것 같지 않았다.

"너와도 이쯤에서 작별해야 할 것 같아. 난 제주도에 갈 거거든."

"가만있어 봐. 나도 가야겠어. 이번 운석이 제주도에 떨어졌다며?"

"그것 때문에 가는 건 아냐. 뚱별 샘을 마지막으로 보려고……."

"마지막? 이상하게 자꾸 마지막이라고 그러네. 무슨 생각을 하는 거야?"

"고3되니까. 이런 여행도 마지막이지."

"나도 운석 줍고 싶다고. 왠지 필이 온다니까."

"그럼 마음대로 해. 내 탓하지 말고."

"걱정 마. 너 때문에 가는 거 아니니까."

"그러게. 네가 씩씩해서 정말 다행이야."

"듣기 싫어. 깊은 뜻이 있는 것처럼 혼자 중얼거리지 말라고, 오타쿠 새끼야."

"무슨 말이야?"

"내가 전에 말했지. 넌 관계라는 걸 모르는 놈이야. 멋대로 혼자 생각하고 그냥 실행해 버려. 독선적인 너 때문에 난 너무 깊이 상처받았어. 레슨이다 뭐다 해서 바쁘기도 했지만 너의 오타쿠적인 모습이 나랑 비슷했기 때문에 우린 정말 죽이 잘 맞는 커플이었지. 그런데 너 나한테 왜 그랬어? 그렇게 날라 버려도 되는 거야? 너한테로 가는 통로가 다 막혀 버렸던 거야. 그 후로 노래를 부를 수가 없었어. 결국 악을 써대다가 목소리마저 잃어버렸어."

나는 너무 놀라 유리의 한쪽 어깨에 손을 얹었다.

"그걸 왜 인제 말하는 거야?"

"네가 언제 물어보기나 했니? 그리고 말했다쳐도 넌 누구의 말도 안 듣잖아."

흥분한 유리의 목소리는 천 갈래 만 갈래로 갈라져 여러 사람이 한꺼번에 말하는 것처럼 들렸다. 평소에 왜 그렇게 꼭꼭 눌러 말했던 것인지 알 것 같았다.

－ 안녕. 우주소년?

"누구세요?"

－ 말뚝이. 잘 돌아다녔냐?

"그럼요."

－ 난 벌써 도착해서 짐 풀고 놀러 나왔어. 제주도엔 언제 오니?

"저희 지금 배 타고 가고 있어요."

－ 내가 일하는 팀이 오늘내일 휴가라고 해서 네 이야기를 했
  거든. 거기 여객터미널에서 기다리고 있을 거야. 저녁 때 같
  이 놀자.

"형도요?"

－ 내가 우주소년 이야길 했더니 관심들 참 많더라고. 네가 오면
  꼭 그 이야길 들어보고 싶다고 그러네.

"관심이 있다면 그럴 수 있겠지만 원하는 정보가 아닐 수도 있
어요."

－ 그런 걱정하지 말고 우리랑 놀자. 공짜로 드라이브시켜 줄게.

"좋아요."

9
제주도 여행

배에서 내려 여객터미널을 나서기까지 선정인 아무 말도 하지 않았다. 몇 번을 선정 엄마에게 전화를 할까 생각했으나 일단 나는 자기 자식밖에 모르는 이 아줌마가 싫었다. 내가 선정과 함께 있는 것도 몹시 싫어할 분이었다. 선정은 배에서도 어두운 표정으로 잠이 들고 깨어났다. 편의점에서 삼각 김밥과 컵라면으로 때웠으나 선정은 음식을 다 물리치고 물만 마셨다. 며칠 만에 목살이 모두 사라져 버려 다른 사람이 된 것 같았다. 말뚝이 오빠의 말이 사실이라면 나는 뜨거운 감자 정도가 아니라 폭탄 한 개와 함께 다니는 것이었다. 나는 선정이 D시를 떠나 어떤 삶을 살았을까 생각해 보았다.

파랑새병 환자였다고 했다. 선정은 물론이고 온 집안이 선정의 미래에 모든 걸 걸고 올인 했다고 했다.

나는 선정의 마음속에서 두 개의 심리 같은 걸 보았던 것 같다. 하나는 점점 깊어지는 우울감이다. 근래에 내 주위에서 이렇게 우울한 아이를 본 적이 없다. 그리고 건강이 무너지고 성적이 하향 곡선을 그리면서 그 깊이는 더해지는 것 같았다. 또 하나는 최고였던 자신을 내려놓고 싶지 않은 마음이 돌출 행동으로 나온다는 것이다. 그 밑바닥에는 아집이 숨어 있다. 두 가지 모두 확장되지 않은 이기심에서 비롯된 것들이었다.

남쪽으로 갈수록 날씨는 따뜻하고 사람들로 북적댔다. 나는 라운드 티로 갈아입고 간간히 파카 잠바도 벗고 걸었다. 등산모를 쓰거나 간식을 쉴 새 없이 집어넣으면서 와자하게 오가는 사람들이 보였다. 가로수로 심어진 귤나무와 활엽수를 보면서 외국을 여행하고 있는 느낌이 들었다. 여러 대의 승용차 행렬들이 우리 곁을 지나쳐 갔다. 흰색 소나타 한 대가 멈춰 섰다. 창문이 열리고 운전석의 남자가 우리를 훑어보았다. 조수석에 젊은 남자가 손을 흔들었다.

"얘들아 여기 타."

아까 통영 터미널에서 본 젊은 남자였다.

"팀장님. 제가 일은 백 배 천 배 잘할 테니 쟤들이랑 같이 가요."

팀장이라는 아저씨는 선정이 입고 있는 잠바를 먼저 보았다.

"그 잠바 우리 회사 건데. 둘이 언제 만난 거요?"

선정은 오늘 새벽에 얻었다고 말했다.

"말뚝이 이놈이 맘두 좋아. 다 퍼주고 돌아다니네."

소나타 뒤로 두 대의 승용차가 함께 멈추었다. 그들은 일행인 것 같았다.

"같이 갑시다. 어서 타요. 말뚝이가 특별히 부탁했어요. 귀한 분이니 같이 놀자고 그럽디다. 이 학생이 보물을 찾으러 다닌다고 하더라구요."

나는 잠깐 선정을 돌아보았다. 병원에 다녀온 이후 살이 쏙 빠져서 볼이 움푹 패여 있었다. 게다가 계속 먹지를 못하는 것 같았다. 우리는 거절할 이유가 없었다. 선정은 내일 아침 약속이 있었으므로 오늘은 남아도는 시간이었다.

"아이고, 잘됐네. 고맙습니다."

나는 선정 대신 냉큼 인사를 했다.

차 안은 따뜻했다. 온천욕을 하고 왔는지 사람들에게서 비누냄새와 화장품 냄새가 났다. 자리에 앉자마자 꾸벅꾸벅 졸던 선정은 나에게 머리를 기댄 채 깊이 잠이 들었다. 나는 창밖으로 너울대는 바다를 바라보았다. 오후 햇살이 수그러들고 있는 시간이었다.

"내일부터 파도가 심해서 며칠 동안 배가 못 뜬다고 하던데……"

말뚝이란 오빠가 후면경으로 나를 힐끗 본다. 눈이 마주치자 살짝 웃는데 어딘가 선정과 분위기가 비슷했다.

"예. 저흰 여기서 모임이 있어요. 회원들하고 비행기를 탈 것 같아요."

"요새 비수기라 비행기가 훨씬 나아. 둘이 어떤 사이야? 좋아 보이네."

팀장이 물었다.

"동아리 친구예요."

나는 후면경 속의 남자를 보면서 웃었다. 말뚝이 오빠와 운전석의 팀장이 나를 두세 번이나 훑어보았다. 거울 속에 비친 팀장의 얼굴은 울고 있는지 웃고 있는지 알 수 없는 조금 복잡한 인상이다.

"대학생 같지는 않고, 고등학생인가?"

"고3 올라가요."

"이제 고생 다했네 뭐. 내년이면 끝나겠구나."

말뚝이 오빠는 팀장 옆에서 경쾌하게 웃어댔다.

"아직 끝난 건 아니지 뭐. 우리 아들도 내년에 수능 봐."

낮은 목소리. 팀장 아저씨는 고급스러운 차에 어울리지 않는 낡은 작업복을 입고 있다.

"정말? 애 엄마랑 미국 가 있다고 하지 않았어요?"

말뚝이 오빠가 물었다.

"벌써 들어왔지. 그런데 애를 한 번 못 만나게 하네."

"이혼했다고 완전히 딱 잡아떼는 거죠. 팀장님이 크게 뭔가 잘

못한 거 아녜요?"

말뚝이 오빠는 문을 열고 심호흡을 하면서 다시 말했다.

"애 소식도 알 수 없으니 얼마나 힘드세요."

"정말 독한 년이라니까."

선정이 기침을 하자 팀장 아저씨가 얼른 유리문을 올려주었다.

"팀장님은 이번 공사 끝나면 다시 육지로 돌아가는 겁니까?"

"아직두 멀었는데 뭘 벌써 생각해. 천천히 갑시다."

주고받는 대화로 보아 그들은 오랫동안 알고 지내는 팀인 것 같았다. 운전을 하는 최 씨 아저씨는 선정 아빠와 닮아 보였다. 짧고 다부진 손과 발, 같은 얼굴 안에 울고 웃는 표정이 묘하게 뒤섞여 있는 것까지. 나는 뜰채를 들고 주방으로 달려가던 선정 아빠의 모습을 기억해 냈다. 나는 선정의 옆구리를 쿡쿡 찔렀다.

'봐봐, 너네 아빠랑 정말 닮았어.'

하지만 선정은 냄새만 풀풀 풍기며 눈을 감고 있었다.

아저씨는 뒤 차량을 살피며 계속 해안도로로 나아갔다. 반짝이는 바다, 희끗희끗한 눈 조각들이 물기 머금은 바람에 맞춰 춤을 추고 있었다.

태양 볕이 수그러들면서 주위가 수묵화처럼 내려앉는 바닷가. 잿빛의 산과 강. 서늘한 저녁 바람까지 평화롭고 무심한 광경이었다.

세 대의 차가 합쳐진 곳은 어느 고깃집이었다. 열세 명쯤 되는 일행이 왁자지껄하다. 모두들 선정이와 같은 작업복 차림이었다.

"내일부터는 또 뺑이치겠구먼."

"아주머니가 군포서 안 왔으면 우린 연휴고 뭐고 없었을 거야. 최 씨 고마워."

그들은 공사를 맡아하는 용역회사 직원들이었다. 모두 서울 부근에서 온 사람들이었고 제주도 토박이는 두 명 정도였다.

"여기서 예쁜 아가씨 만나 결혼하려 했더니 처녀들은 도시로 다 나가고 눈 씻고 찾아봐도 없네, 젠장."

분위기가 갑자기 왁자해지고 흥겨워지기 시작했다. 우리를 곁에 두고 챙기는 최 씨 아저씨 덕에 금세 데면데면한 관계가 풀어졌다. 말뚝이란 오빠가 왜 이런 호의를 베풀었는지 모르겠다. 나와 선정은 배낭여행을 하는 학생들 정도로 정리가 되었고 더는 내 신분 따위를 묻는 사람은 없었다. 분위기는 여유롭고 헐렁헐렁해졌다. 그들은 내일부터 다시 일을 하러 나가야 한다고 했다.

최 씨 아저씨가 맥주를 한 잔 따라 주었다. 선정은 여전히 국물만 떠먹는 수준이었으므로 맥주는 내 몫이었다. 맥주는 시원하고 마신 후 몸은 따끈따끈해졌다. 피로가 싹 풀리는 것 같았다. 폭탄이고 뭐고 나는 이 여행을 즐기며 돌아다닐 것이다. 요즘 중국 사람들이 제주도에 투자를 많이 한다는 이야기와 인기 연예인들이 살러 오는 경우가 많다는 이야기가 주요 화제였다.

'엄마가 몸조심하며 다니랬는데 술까지 얻어먹고 참 자알 논

다……'

나는 사람들이 보지 않는 틈을 타서 선정을 툭 쳤다.

'밥 먹어라!'

내가 손짓을 하며 눈을 부라리자 선정은 겨우 숟가락을 들어 밥을 먹었다.

금방 어둠이 밀려왔고 취해 버린 그들은 목소리가 점점 커졌다. 설계도와 미장과 천장 공사에 대한 불만이 이어지고 뿔뿔이 흩어졌다. 뒤차의 곱슬머리 남자가 우리들에게 말했다.

"젊은 사람들끼리 한 잔 더 합시다. 짝꿍들도 부르고 신나게 놀아보자고."

해안도로 쪽을 통해 서귀포로 향하기로 했다. 갈대밭을 낀 좁은 일차선 도로였다.

"야, 우리도 이쯤에서 헤어지는 건 어때?"

내가 말하자 선정은 곤란한 표정을 지었다.

"그럴까? 근데 아저씨가 오늘은 자기랑 끝까지 다녀야 한다고 식당에서부터 말했어."

"왜 그러시는 거야?"

"몰라. 말뚝이 형이 내가 불안해 뵌다고 데리고 있어 달라고 했대."

나는 중간에 숙소로 돌아간 말뚝이형과 선정 사이에 무슨 일인가 있었다는 걸 눈치챘지만 캐묻지는 않았다.

"내가 볼 땐 아저씨가 너를 특별하게 생각하는 거 같은데? 우리야 맛있는 거 먹으면서 놀 수 있으니 좋긴 하지만."

왠지 민폐를 끼치는 것만 같아 꺼림칙하기만 했다.

주점 안에서 최 씨 아저씨와 그의 동료가 각각 화장기 짙은 여자 어깨에 팔을 걸치고 앉아 있었다. 여자들은 아저씨 허리를 감싸고 몸을 더듬으며 노골적으로 친한 체한다. 우리는 영화에서나 본 적이 있는 이런 술집 광경에 적응이 안 돼 뻘쭘하게 엉덩이를 걸치고 앉아 있었다.

"여기가 단골 술집이요. 얘가 내 짝꿍."

아저씨가 쾌활하게 소개를 했지만 유순해 보이는 아저씨와는 어울리지 않게 여자는 눈동자를 빠르게 움직이며 주위를 살피고 있었다. 짙은 화장으로 얼굴의 주름과 기미 자국들을 가렸지만 잠깐 입을 다물고 있을 때, 옆으로 고개를 돌릴 때 사납고 어두운 얼굴이 그대로 드러났다. 첫인상이 좋질 않았다. 행동은 또 민첩하여 술에 취한 남자들에게 술과 안주를 마구 안기며 빨리 먹어 없애야 한다는 듯이 포크로 쿡쿡 찍어 나눠 준다. 안주가 반쯤 떨어질 즈음 도우미를 불러 새로운 안주를 부지런히 날라 왔다. 분위기가 무르익자 아저씨 아줌마들이 무대에 나가 노래를 불렀다. 노래방 기계가 쉴 틈이 없었다. 서로 먼저 부르겠다고 마이크를 뺏기도 하고 어깨동무를 하고 함께 부르기도 했다.

하지만 우리에겐 낯선 풍경들이다. 우리가 태어나기 전 유행했던 노래들이어서 흥미가 생기지 않았다.

게다가 나는 맥주 몇 잔에 얼굴이 확확 달아올라 계속 물을 마셔야 했다. 나는 이 아저씨들과 함께 어울리는 것이 어색하고 불편했다.

저녁식사와 술까지 얻어먹고 나서 선정에게 이쯤에서 인사를 하자고 소곤거렸다.

"저희 이제 가 볼게요. 너무 재미있게 잘 놀았어요."

오후 내내 졸던 선정이 생기를 되찾고 인사를 했다.

"안 돼. 가지 마. 어딜 가는 거야? 조금만 더 있다가 가."

최 씨 아저씨는 선정의 손목을 잡고 놓을 줄을 몰랐다.

"내가……너랑 동갑인 아들이 있거든. 5년이 넘도록 한 번 본 적이 없다……. 애 엄마가 나랑 아들을 말도 못 섞게 해. 이런 경우가 어디 있니? 안 그래?"

아저씨는 얼이 빠진 것처럼 했던 말을 하고 또 했다. 술에 취한 건지, 맨 정신으로도 견딜 수가 없어서 그런 건지 분간할 수가 없었다. 그때 선정의 눈에도 눈물이 그렁그렁해지는 거였다.

"내가 너를 보고 싶어 하니까 네가 이렇게 온 거잖아. 중현아."

아저씨가 횡설수설하면서 선정을 보내려 하지 않는다.

'아들 이름이 중현이었구나.'

아저씨의 입에서 구체적인 이름이 흘러나오자 흐릿하던 관계들이 확실히 잡히는 것이었다. 아저씨의 중현이, 그리고 나의 선정이. 모두 소중한 이름이었다. 선정의 표정은 자꾸 흔들렸다.

우리는 주점을 잠시 빠져나와 옆에 있는 노래방으로 갔다. 어차피 우리에게 마이크가 돌아올 분위기가 아니었으므로 삼십 분을 킵해 두고 자기가 좋아하는 아이돌의 노래를 연달아 불렀다. 마마무의 팬인 나는 연달아 세 곡을 선곡하고 탬버린을 흔들며 불렀다. 고음은 절대 불가였으므로 마이크를 손으로 쥐고 음악으로 흘려보냈다. 자리에 앉아 웃고 있던 선정이 두 번째 곡부터는 대신 불러 주었다. 낭랑한 목소리를 잃고 나니 그때 내 목소리를 녹음이라도 해 둘 걸 후회가 된다.

"멈출 수가 없어 나, 너에게 나를 맡겨, 서로가 만들어 낸 서로가 묻힌 데칼코마니 같아……."

나는 음계를 따라갈 수가 없어 책 읽듯 읽고 말았다. 선정은 화면 밑으로 흐르고 있는 자막을 멍하니 좇고 있었다.

나는 마이크를 들고 선정에게 간다. 손을 잡고 무대로 불러낸다. 선정에게 바톤 터치다. 더 이상 꽥꽥거리며 부를 수가 없었다.

주인아저씨가 삼십 분을 더 주겠다는 걸 사양하고 우리는 상가 밖으로 나왔다.

우리는 얼마 후 10대의 마지막 해를 보내게 될 것이다. 경쟁의 레이스에서 쓴 잔을 마신 두 청춘이다.

'서로가 만들어 낸 서로가 묻힌 우린 데칼코마니……'

편의점에서 아이스크림을 샀다. 먹어도 되나? 나는 파라솔 의자에 앉아 있는 선정을 돌아보았다. 팔짱을 낀 채 두 다리를 번갈아 가며 떨고 있었다. 6학년 때부터 버릇이더니 몸집이 커져도 똑같은 모습이었다.

"몸도 안 좋은데 이런 거 먹어도 돼?"

"이거 먹는다고 무슨 큰일이야 있겠어. 먹고 죽는 거지 뭐."

"뭐 말을 그렇게 하냐? 사 준 사람 성의를 봐서라도 고맙다고 인사하고 먹을 일이지."

"누가 안 고맙대. 고마워 고마우어. 고마마마우우우어."

"네가 이제 살아났구나. 까부니?"

"미안. 아이스크림 정말 맛있다. 네 입술 맛인걸."

"어디서 끼를 부리고 그래."

"진짜 이 맛이었어."

"너, 어디 가서 그런 소리 하지 마. 광고하고 다니니?"

나도 모르게 얼굴이 달아올랐다. 그때 내가 뭘 먹고 뽀뽀를 했었나? 기억이 나질 않는다.

10
에블린 글레니의 마림바

최 씨 아저씨는 내 어깨를 잡고 "잘 곳이 있는 거야?" 하고 물었다. 우리는 제주에서 내려 말뚝이형과 아저씨 덕에 뜻하지 않은 관광과 푸짐한 먹거리를 선물 받았다. 더 이상 민폐를 끼쳐서는 안 될 것 같아 자리를 뜨기로 한 것이었다. 식당을 나와 유리와 나는 찜질방에서 밤을 보내거나 24시간 영업을 하는 곳을 찾아보기로 했었다. 학생 수준에서 맘 편하게 밤을 지낼 수 있는 곳은 그 정도였기 때문이다. 아침 '어게인 별똥별' 번개 약속을 지켜야 했기 때문에 어딘가에서 쪽잠을 자야 했다.

아저씨는 내일까지 말뚝이형이 꼭 데리고 있어 달라고 했다면서 자신이 한라산까지 데려다주겠다고 하고는 우리를 공사팀이 단체 합숙을 하고 있는 숙소로 데려갔다. 학생 신분으로 따로 잘 곳을 찾기가 힘들어서 아저씨를 따라가기로 한 것이다. 유리가 함께 있어서 위축되거나 불안하지 않았다.

술에 취한 아저씨는 나에게 어깨동무하고 얼굴을 만지기도 하고 옷깃을 여며 주기도 했다. 아저씨는 아들 이야기를 하며 마치 내가 아들이라도 되는 양 헤어지려 하지 않았다. 제주까지 오는 동안 만나는 사람들은 대부분 가족을 잃고 괴로워하는 사람들이었다. 그런 사람들이 이렇게 많다는 게 신기했다. 무언가를 잃고 나서야 다른 것이 보인다는 말이 맞았다. 과음을 한 아저씨는 가끔 바로 서려 했는데 제대로 서지 못할 정도로 휘청거렸다. 따라온 술집 여자가 팔짱을 끼고 걸음을 바로잡아 주었다.

우리는 간판 불이 꺼져 있는 모텔 문을 열고 들어갔다. 허름하긴 했지만 깔끔하게 청소가 되어 있는 타일이 반짝거렸다.

안내실 쪽문이 열리고 주인 남자가 아저씨에게 말을 걸었다.

"애들은 누구야? 최 씨 애들인가?"

모텔 주인은 우리를 번갈아 훑어보았다. 탐탁지 않은 눈빛이었다. 나는 처음 와 보는 곳이라 잔뜩 긴장을 하고 있었다. 유리도 호기심에 차서 주위를 살피고 있었다.

"우리 조카들이유. 제주도 관광 왔는데 아침에 데리고 나갈게요. 한라산 관광을 하러 간대요."

"미성년자들이면 우리도 벌금 물어야 해. 여자앤 아줌마들 방에 넣어요. 잠만 재우고 얼른 보내요. 이번만 봐주는 거유."

주인은 투덜거리기는 했으나 들여보내 주었다.

아저씨는 2층으로 힘겹게 올라가 방문을 열어 준다. 주점 여자는 안내데스크 앞에서 최 씨 아저씨를 기다리고 있었다. 요란하게 껌 씹는 소리가 1층을 넘어 2층까지 들려왔다.

"우리 팀은 세 달째 여기 장기 투숙하고 있어. 난 중현이, 아니 선정이가 참 맘에 든다. 누추하지만 따로 돈 들이지 말고 여기서 쉬어. 유리는 아줌마들 자고 있는 방에서 쉬고. TV 앞에 내 명함 있으니까 혹시 전화할 일 있으면 하고. 난 오늘 우리 짝꿍하고 사랑 좀 해야겠어."

"아저씨 저희랑 놀면 안 돼요?"

유리는 아까부터 여자를 탐탁히 여기지 않았던 터라 결국 하고 싶은 말을 뱉고야 말았다.

"그래도 내가 맘 편하게 대할 수 있는 건 우리 짝꿍밖엔 없는걸."

아저씨는 모를 줄 알았는데 그런 답변을 듣자 가슴이 더 답답해졌다. 아저씨가 살고 있는 공간은 우리가 숨 쉬고 있는 곳과 다른 곳일까? 보고 싶은데 보지 못하는 아들, 한때 부부였으나 원수처럼 변해 버린 아내, 외로운 나머지 자신을 뜯어먹으려는 여자를 사랑하려는 행동까지 나는 이해하기 어려웠다.

방문을 여는 순간, 나이 든 아저씨의 퀴퀴한 냄새가 코에 끼쳐 왔다. 한쪽 벽에는 작업복이 몇 벌 나란히 걸려 있었고, 그 밑에는 몇 개의 가방들이 나란히 놓여 있었다. 술에 취한 아저씨는 나와 유리를 놔두고 단란주점 여자에게 돌아갔다. 유리는 아줌마들이 자고 있는 방에 가방을 놓아두고 나에게 왔다.

"야, 저 아줌마 진짜 사기꾼 같아 보이지? 불쌍한 아저씨! 왜 저런 여자랑 어울리는 거지? 차라리 우리랑 고스톱이라도 치자고 할까?"

내가 킥킥 웃어댔다.

"고스톱 기계는 있냐? 남의 일에 너무 깊숙이 참견하는 것도 예의가 아니야."

"우리한테 이렇게 잘해 주는데 아저씨가 왠지 여자한테 막 뜯길 것 같은 분위기잖아."

"그러게. 왜 이혼한 걸까?"

"모르지. 너희 엄마 아빠만 정상적으로 사시는 거 같네."

"너희 엄만 왜 혼자 사시는 거야?"

"우리 아빤 교통사고로 돌아가셨어. 그때 처음 장사를 시작하셨는데, 꿋꿋하게 잘 버티셨어. 오히려 지금이 훨씬 생생하고."

"한유리 너도 많이 힘들었겠다. 엄마가 아무리 꿋꿋하셔도 빈 구석이 있는 것 같아."

"네가 그렇게 말하니까 갑자기 울컥하는 거 있지. 아무렇지도 않다고 생각했는데 늘 허전하고 외로웠던 것 같아."

"어른들끼리는 정말 사소한 일로도 헤어지곤 해. 사람을 있는 모습 그대로 보려고 하지 않고 말이야. 그러니까 자신도 그대로 드러내기 어려운 거고."

"맞아. 겉으론 멀쩡해 보이는데 가족들한테 사납게 변하는 사람들도 있어. 자기 아이들 때리고 죽이는 사람들도 많거든."

"그에 비하면 우린 정말 운 좋은 아이들이다. 갈 때 고맙다고 편지 써 놓고 갈까?"

"음 좋은 수가 있군. 여길 나가기 전에 청소라도 해 놓는 게 어때?"

"더 피곤하기 전에 먼저 해 놓고 쉬자."

벗어 놓은 옷더미들이 이부자리와 뒤범벅이 되어 있었다. 회색 작업복에는 흙과 얼룩이 붙어 있었다. 유리는 보자기로 작업복을 덮어 놓고 창문을 열었다.

나는 걸레를 빨아 구석구석 쳐진 거미줄을 치우고 흩어져 있는 모래 알갱이들을 걸레로 밀어 한곳으로 모았다. 끌어모은 모래들을 한 주먹만큼 쥘 수 있었다.

"야, 이거 봐."

"이 아저씨 모래사장에서 뒹구는 거 아냐?"

나는 모래를 휴지통에 버리고 욕실 거울도 닦았다. 뒤돌아보니 유리는 창문을 열고 밖을 내다보고 있었다.

"등대가 보인다. 낮에 창밖을 봐도 기분 좋을 것 같아."

"근데 아저씨가 그럴 시간이 있을까? 이렇게 방이 흐트러져 있는 걸 보면 돌아와 잠만 자고 다시 나가는 일이 반복되는 것 같은데."

"선정아, 넌 스무 살이 넘으면 뭘 하고 있을 것 같아?"

"난 아마 우주를 떠돌고 있을 거야."

"치, 또 뜬구름 잡는 소리 한다. 꿈 깨라 임마."

유리의 꿈은 뭘까? 어느 여친이 이런 끔찍한 여행에 동행을 한단 말인가? 탁하고 험한 세상에 맑은 유리알 같은 심성이 상처 나지 않기를 속으로 빌었다.

"유리, 넌 뭐하고 있을 거야?"

"내가 만든 카페 보여 줄까?

유리는 폰을 열어 '또래끼리' 카페를 보여 주었다.

대부분의 게시 글들은 카페지기 '유리짱'이 올린 것들이었다.

"내가 그동안 찾아 읽고 상담했던 것들이야. 그중에 가장 기억에 남는 건 위클래스 선생님이 해 주신 죽은 나무에서도 버섯들이 자란다는 것이었지."

"그렇게 신이 난 걸 보니 네 길이 보이는 것 같다."

피로가 몰려오자 3D 안경을 쓴 것처럼 사물들이 도드라져 보였고 금세 둥실둥실 떠다니기 시작했다.

"불 좀 꺼 줄래?"

어둔 곳에서 눈을 감고 있으면 좀 나아질 것 같았다. 나는 기운 없이 창 쪽 벽에 기대앉아 유리에게 말을 건넸다.

"너 갑자기 왜 그러는데?"

"메스꺼워서 그래."

나는 스르르 미끄러져 내려 옆으로 누웠다.

"너 저녁에 약 챙겨 먹어야 하는데 깜빡 잊어버렸네."

스무 살이 넘으면 나는 캡슐에 담겨 우주로 날아갈 것이다. 4그램짜리 캡슐은 우주 공간을 유목민처럼 떠돌아다닌다. 대학생이 된 유리는 나를 바라보며 손을 흔든다. 나는 바람에 밀려 다른 곳으로 간다. 민들레 홀씨처럼. 그러다가 유리가 대학을 졸업하는 해, 지구 대기권으로 돌아오면서 폭발해 공중 분해된다고 한다.

요즘 미국이나 일본에서는 '수목장' 대신 '우주장'이라는 장례 풍습이 인기라고 했다. 뼛가루를 담은 캡슐을 우주로 날려 보내는 것이다. 지구라는 공간이 살아 있는 사람들에게도 부족한 현실을 감안하면 기발하고 바람직한 장례 풍습인 것 같다.

나는 무게를 떼어 낸 채 하늘을 날고 있을 내 모습을 상상한다. 갑자기 따뜻한 손이 내 겨드랑이로 들어온다.

"큼큼큼큼."

"뭐 하는 거야?"

"니 냄새가 좋아서……."

"내 몸에서 온갖 악취가 날 건데……."

"맞아. 그래도 난 김선정의 냄새를 알 수 있어."

유리는 꼬질꼬질한 베개와 이불을 가져와 덮어 주었다. 나는 유리의 팔을 잡아당겼다. 유리의 무릎에 정강이뼈가 부딪혔지만 아품을 느끼지 못했다.

유리는 무언가를 원하는 것 같았으나 나의 몸은 꼼짝도 하지 않았다. 나는 한동안 유리를 안고 있다가 바로 누워 버렸다.

"난 정상이 아냐."

"괜찮아. 내가 널 만지게 해 주면 되잖아?"

"……"

"야, 대답해. 나 옆방으로 그냥 가버린다."

"내 옆에 누워. 시간도 얼마 안 남았는데 네 이야기 좀 해 줘."

"무슨 이야길 듣고 싶어?"

"그냥 아무 말이나 해 봐. 나도 실은 상담 받고 싶은 게 있는데 너랑 너무 가까워서 쉽게 안 털어지는 문제가 있어."

"그럼 털지 말고 덮어 둬. 그것도 괜찮은 방법이야."

창문으로 앞 건물의 네온사인이 쉬지 않고 번쩍거렸다. 아저씨가 뒤척이며 저 불빛을 보았을 것이다. 아까 주점에서 마이크를 잡고 계속 울던 게 생각났다.

"너, 솔직히 말해 봐. 힘든 게 뭐야?"

"한창 두뇌를 써야 할 나이에 뇌에 물이 차다니 너무 아이러니한 것 같아."

"오마이 갓! 고칠 수는 없어?"

"치료 방법도 아직 나와 있지 않아서."

"그런 게 어딨어? 4차 산업혁명을 코앞에 둔 마당에 불치병이

158

라니, 말도 안 돼!”

“무슨 방법? 꼰대 같은 얘긴 하지 마.”

“선정아, 내가 안아 줘도 될까?”

“나한테 잘해 줄 필요 없어. 언제 또 도망갈지 모른다고.”

“그럼 안아 주지 말까?”

“네 맘대로 해. 난 약 때문에 섹스를 할 수도 없어.”

“알았어. 조르지 않을게.”

“응?”

“고딩이 이러고 다닌 걸 알면 기절할 거다, 우리 엄마가.”

나는 유리와 포옹을 했다. 달착지근한 유리의 냄새가 코를 간지럽혔다. 쿵쿵대는 심장 소리와 함께 유리의 온기가 고스란히 나에게로 왔다.

“술을 얼마나 마신 거니? 아직도 온몸에서 술 냄새가 진동한다.”

“맨 정신으론 견딜 수가 없었어.”

“뭘?”

“나 때문에 잠도 못 자고 일을 하러 다니는 엄마 아빠를, 학습지 하나 해 보지 못하는 동생을…….”

“견디지 말고 그냥 내뱉어. 방법은 여러 가지가 있잖아. 몸이 아픈 건 그렇다 쳐도 일부러 죽으려고 하진 마. 네가 있기 때문에 엄마도 있고 아빠도 있고 나도 있는 거야. 네가 사라져 버린 순간 우리도 없는 거잖아.”

"속 편한 소리 하지 마. 내가 병원에 한 번 갈 때마다 쓰는 돈이 얼만지 알아? 그 구체적인 액수를 알면 그런 소리가 안 나올 거야."

나는 유리를 물리치고 천장을 바라보았다. 주위의 위로를 받는 일에 지쳤다. 벼랑 끝에 서 있는 사람에게 사탕을 내주는 꼴이 아닌가?

"그만큼 네가 가치 있는 사람일 수도 있는 거잖아."

"내가 너한테 준 게 뭔데? 그때 충격으로 목소리도 그렇게 된 거라며."

나는 짜증이 나서 쏘아붙였다.

"맞아. 하지만 그 이전에 난 성악에 대해 자신감을 잃었어. 대회에 나가기 위해 늘 연습실에서 살았지만 재미를 못 느꼈지. 그런데 마침 핑계거리가 생긴 거야. 네가 말도 없이 튀어 버린 거야. 그래서 모든 게 네 탓인 것처럼 다 덮어씌우고 미워했던 거지."

"그럼 나 죽일 놈 아닌 거지?"

"그래. 오늘 있었던 일은 다 내가 원해서 한 거니까 걱정하지 마."

"피곤한데 잠이 안 와."

"그럼 우리 우간다 게임 할까?"

"그래."

"우간다 가지 말고 네가 가고 싶은 별로 바꿔서 해 보자."

"목성에 가고 싶어. 주피터별에는 잔소리꾼 마누라 주노가 몇 명?"

160

"뭔 소리야? 하나도 못 알아듣겠네."

"올해 7월에 목성 탐사선 주노가 목성 궤도에 진입했거든. 5년 동안 28억 킬로미터를 홀로 떠돌아다니다가 들어간 거야. 목성은 주피터, 주노는 헤라야. 과학자들이 이름을 그렇게 붙였어. 근데 목성 주위에는 썸을 타거나 연인이었던 여신들이 위성으로 앉아 있는 거지. 그러니까 주노는 그걸 감시하러 빛보다 빠른 속도로 목성에 진입한 거야."

"좋아. 주노는 없어."

"아니라니까. 하나야."

"짜증나. 우린 지금 우간다 게임을 하고 있는 거라고. 그렇게 오타쿠같이 구니까 인생이 고달픈 거야. 다른 각도로 좀 보라고. 니가 문제 내 봐."

"그럼 목성에는 위성이 몇 개?"

"당근 하나지."

"이름을 붙인 건 몇 십 개지만 이름 안 붙은 것까지 100개도 넘어. 근데 위성들은 다 제우스가 사랑했던 여인들 이름이란다. 크크"

"짜증나. 우간다고 뭐고. 다 때려치고 네가 하고 싶은 말을 해 봐."

"목성에 대해서 알려줄까?"

"좋으실 대로 해."

"주노는 20개월 동안 주피터를 샅샅이 훑고 다닐 거야. 그리고 목성의 모습을 우리에게 알려주지. 그런데 목성 주위에는 생명체가 살 거 같은 이오, 유로파 같은 위성들이 있어."

"헐, 정말이야?"

"굉장히 춥지만 얼음 밑으로 물이 있다는 증거가 있대. 가니메데, 칼리스토, 이오, 유로파. 이름을 기억해 둬. 나중에 우리랑 교류할지도 모르는 별들이니까. 근데 주노가 돌다가 다가가서 충돌을 하게 되면 미생물이 묻을 수도 있고 거기를 오염시킬 수도 있다는 거야. 그걸 막기 위해 주노는 20개월 후 그냥 우주에 떨어뜨려 죽인다는 거지."

"그럼 설계할 때 미리 그런 것까지 다 계산해서 쏘아 올렸다는 거야?"

"그럼."

"불쌍한 주노."

"별게 다 불쌍하네. 주노 때문에 우리는 목성의 모습을 바로 옆집 사진처럼 볼 수 있게 된 거지."

"주노가 보내 준 사진들이 있어?"

"사진이랑 동영상이 유튜브에 올라와 있어."

"우간다 게임보다 더 재밌당. 주노가 불쌍해. 여자들의 일생이란……."

"얘기가 또 왜 그렇게 흘러가니?"

"흐흐, 내 맘이야."

하늘이 부옇게 밝아 오고 있었다.

"한유리, 완전 고마워. 너 때문에 머리 구름이 걷히는 느낌이야."

"그거 봐. 네 병은 뭔가 심리적인 것과 관련이 있다니까. 깨워 줄게. 조금만 눈을 붙여."

나는 유리가 덮어 준 담요를 목까지 덮어썼다. 달콤한 잠에 빠져들었다.

잠에서 깨어났을 때 날은 훤하게 밝아 있었다. 나는 창밖의 네온사인을 바라보며 말했다.

"뭐 해?"

"음악 듣고 있어."

"이어폰 빼고 나한테도 들려줘."

나무 실로폰 소리가 흘러나왔다. 화음이 없는 단조로운 음만으로도 아름다움을 느낄 수 있구나 싶었다.

"정말 좋은데……. 연주자가 누구야?"

"에블린 글레니. 타악기 연주자야. 소리 좋지?"

"응. 바람 소리를 듣는 거 같아."

나는 다시 쑤셔 오기 시작하는 머리를 옆으로 돌리면서 실로폰 소리를 들었다. 자극적이지 않고 부드러운 음이 통통 튀는 것 같았다.

"또래끼리에 오는 아이들은 뭔가 안 풀리는 아이들이잖아. 그럴 때 해결한답시고 교훈을 들이대는 건 도움이 전혀 안 되더라. 내담자와 조용히 밑바닥까지 같이 내려가 주는 게 중요해. 내가 또래끼리를 만든 건 나한테 정말 힘든 시기가 있었기 때문이야. 그건 너도 잘 알지? 너 때문에 속에서는 불이 나는데 속을 터놓을 사람이 없는 거야. 그러니까 목까지 이상해지고 노래를 하다 계속 이탈음이 생기는 거야. 그때 속 털어놓을 친구가 없었기 때문에 난 더 미칠 것 같았어. 나랑 밑바닥까지 같이 내려가 준 사람은 학교 위클래스 샘이지만 또 한 명은 에블린 글레니라는 연주자였어."

"처음 들어 봐."

"마림바라는 악기 연주자야."

"유명해?"

"응. 타악기 연주자로선 세계 최고지. 근데 반전이 있단 말야. 에블린 글레니는 귀가 안 들린다는 거야. 열한 살부터 그랬다니 연주자로서는 치명적인 거 아냐? 하지만 음의 진동을 손끝과 발바닥, 피부로 느껴서 연주를 하고 있어. 그래서 항상 맨발로 연주를 하지. 하도 완벽해서 스스로 말하지 않으면 아무도 귀가 안 들린다는 걸 모를 정도래."

"한번 들어 보고 싶다."

"결국 세계 최고의 연주자가 되었고 그녀의 노력에 감동한 음향 엔지니어와 결혼을 했어."

"뭔가 강박적 해피엔딩, 조작된 성공 시대의 냄새가 나는데."

"씨니컬하기는!"

164

어둠 속에서 유리가 웃었다. 나는 다른 사람의 의견에 쉽게 동조하지 못한다. 그걸 유리는 까칠함이라고 하는데 날카로운 자의식 같은 걸 마음 속 깊이 숨기고 있다가 어느 순간 불쑥 들이대는 때가 있다.

"맞아. 에블린 글레니는 사람들이 자신을 장애인으로 보는 것에 대해 굉장히 불쾌해했고 대인 기피증까지 있었대. 누군가 자신에게 멘토가 되어 줄 것을 요구한다면 짜증을 냈을 거야. '나는 나야, 당신 문제를 내가 왜 감당해야 하는 건데.'라고 말할 정도로 히스테릭한 반응을 보였다는 거야. 에블린 글레니는 성공한 사람이라기보다는 악랄하게 살아남은 사람이라 할 수 있어."

"그런데 난 그 여자만큼 강렬하게 사랑하는 게 없어. 게다가 민폐만 끼치는 식충이지."

"그런 반응을 보이면 말해 준 보람이 없잖아. 너한텐 별이 있잖아."

"맞아. 하지만 너무 멀잖아."

"선정아, 난 너랑 결혼하고 아이 낳고 평범하게 살고 싶었어."

"그만둬. 다 지난 일이야."

유리가 내 얼굴을 바라보며 고슴도치처럼 삐죽하게 뻗친 머리카락을 만져 주었다.

"지금도 그렇지. 내가 널 얼마나 그리워했는지 제주도에 오면서 알았어."

"……"

"다신 어디로 떠나지 않겠다고 대답해. 너 때문이 아니라 나, 한 유리를 위해서야."

"…… 졸려."

카페에 들어가 공지 글 확인을 해 보았다. 별다른 사연이 올라와 있지 않았다. 아침 아홉 시에 한라산 초입에서 깃발을 들고 있을 거라고 한 마지막 사연에서 멈춰있었다. '어게인 별똥별' 번개팅에 드디어 참석하게 되는구나. 약 기운 때문인지 유리의 허그 때문인지 내 몸은 점점 깨어나고 있는 것 같았다. 두통 때문에 잔뜩 끼어 있던 먹장구름이 조금씩 걷히고 있었다. 유리는 곁에서 유튜브를 뒤지고 있었다. 주노가 찍은 목성의 모습이 하나씩 플레이되고 있었다.

"주피터는 사납고 무서운 별이네. 후쿠시마 발전소보다 2만 배가 넘는 방사능에 폭풍, 블랙홀, 초대형 번개, 4만 킬로미터의 액체 수소바다……. 여기 갔다간 뼈도 못 추리겠다. 사람 살 데가 아니야."

"맞아. 지구만큼 생명체가 살기 좋은 곳은 없어."

걸으면서 나는 채플 시간에 배운 요나를 생각했다. 채플 시간마다 우리는 늘 성경 속 위인들을 공부하곤 했는데 그중에서 가장 재미있는 사람이 요나였다. 그는 하느님이 만든 계율을 어기고 도망을 치다가 고래 뱃속까지 들어간 사람이다. 살아나올 길 없는 죽음의 공간에서 그는 자신의 운명을 받아들인다. 나는 지금 그의 고래 뱃속을 경험하고 있는 것 같다. 나는 절망하고 문을 닫아 버린 상태이지만 이상한 기운 같은 걸 느낀다. 신의 뜻을 거역하고 자신에게 주어진 길을 비틀어 버린 요나. 그리고 고래 뱃속. 율법을 어긴 요나, 퇴출된 요나, 나는 퇴출 후에 죽음 속에 방치된 요나가 궁금했다. 그는 깜깜한 죽음의 공간에서 인생을 반전시켜 어떻게 신과 화해했던 것일까? 어둠 속에서 무슨 일이 있었던 걸까?

나 자신을 돌이켜 보았다. 되는 일 하나 없는 인생이었나? 그렇지 않았다. 늘 주목을 받았고 주목받는 게 부담스럽지 않을 만큼 열심히 공부했다. 특목고 입학은 내 인생의 정점이었다. 영중과(영어·중국어과) 입학생 중 HSK(중국어 급수 시험) 3급을 가지고 있을 만큼 준비된 학생이었다. 보장된 미래를 놓치지 않으려고 한눈팔지 않고 달렸다.

하지만 지금 레이스를 벗어난 주자다. 그러므로 완벽한 공백의 상태라고 할 수 있다. 나는 머리가 아프다는 핑계로 유리의 팔을 잡고 다녔다. 헤어지기 전에 더 많이 만지고 싶어 자리가 비었는데 버스 좌석에 앉지도 않았다.

우리가 한라산에 도착한 것은 오전 여덟 시가 조금 넘은 시간이었다. 날이 흐린 탓인지 아직 날이 환히 밝은 느낌이 들진 않았다. 불길한 어둠이 곳곳에 스며들어 있었다. 너무 빨리 도착 했기 때문에 추위 속에서 기다려야 하는 건 아닌가 걱정했는데 윗새오름 안내판 앞에 뚱별 샘이 서 있는 걸 알아볼 수 있었다. 뚱별 샘은 못본 사이 가운데 머리가 듬성듬성 빠지고 바가지 하나를 엎어 놓은 것만큼 뱃살도 많이 올라와 있었다. 하지만 얼굴에 생기가 넘치는 건 여전했다. 치과 의사라기보다는 옆집 아저씨 같은 인상이었다.

"반갑다, 선정아. 몇 년 만이냐? 더 듬직해졌구만."

악수를 하고 어깨를 두드려 주는데 몇 년 간의 서먹함이 한꺼번에 확 풀리는 것 같았다.

등산복을 입은 두 명의 아줌마가 악수를 청했다.

"반가워요. 닉네임 우주소년이죠?"

"예."

"함께 온 건강미인은 누구신지?"

"제 여친이에요. 오늘 저랑 같이 다니려고요."

"이름이?"

"한유리라고 해요. 선정이한테 이 카페 이야기 정말 많이 들었거든요."

유리는 오랫동안 알았던 사람처럼 스스럼없이 대답했다.

"반가워요. 새 손님이 온 걸 보니 오늘은 멋진 놈을 찾을 것 같은데?"

멋진 놈? 넓은 하늘을 가로질러 가던 별똥별들이 생각났다.

"정말요? 저도 꼭 한번 만져보고 싶은데 찾을 수 있을까요?"

유리는 뚱별 샘이 어깨에 메고 있는 금속 탐지기를 유심히 보고 있었다.

"선정아, 저게 뭐야?"

"탐지기. 운석엔 철 성분이 많아서 저걸 갖다 대면 삑 소리가 나."

유리는 탐지기를 찍어 휴대폰 사진첩에 넣었다.

"금속 탐지기 저도 한번 메 봐도 되나요?"

"그럼, 그럼. 이걸로 다섯 놈은 건졌을 걸."

"와, 신기해요."

"오늘 분위기 좋네. 오늘도 물건 좀 건질 것 같아. 아무튼 유리 양 우리 잘해 봅시다."

"네. 많이 가르쳐 주세요. 선정이한테 이야기만 들어서요."

"별거 없어요. 별을 좋아하면 되는 거지. 또 운석을 주우면 신나잖아.

"사람들 더 모이기 전에 윗새오름까지만 올라갔다 올까요?"

대학생 언니 두 명이 지도를 보면서 말했다. 별똥별도 좋지만 떡 본 김에 제사 지낸다고 대피소까지만 걸어갔다 오자는 것이었다. 뚱별 샘이 사람 수를 세어 보았다.

"절반도 안 모인 것 같은데 여기 지키고 계실 분 있나요?"

노부부가 손을 들었다.

"우리가 있을게요. 등산 힘들어요."

"좋아요. 우리 다리 힘 풀리면 뚱별 님이 대피소에서 라면 하나 쏘는 거예요."

옆에 있던 아주머니 두 분이 웃으며 말한다.

"그럽시다. 선정이도 라면 한 그릇 먹을텨?"

나는 뜨끈한 국물이 떠올라 침이 고이긴 했지만 울렁거림 때문에 먹을 수는 없을 것 같았다.

이른 아침이라 등산객은 드물었다. 산 입구에 휴식년이라 상봉 부근은 들어갈 수 없다는 팻말이 50미터마다 하나씩 서 있었기 때문에 정상을 목표로 하는 사람들은 이 길을 택하지 않을 것이다. 고요한 가운데 까마귀 소리만 가끔씩 들렸다. 오름 길 곳곳에는 미끄러짐을 방지하기 위해 철심과 고무 살이 박혀 있었다. 나는 손잡이 줄을 잡고 천천히 걸어갔다. 줄을 잡고 한 발짝씩 올라갈 때마다 팽팽해지면서 다음 칸의 줄들이 춤을 추었다. 등산화를 신지 않은 우리에게는 다행스런 일이었다. 산 초입은 조릿대 군락지였는데 드물게 동백나무가 우뚝 솟아 균형을 잡아 주고 있었다. 육지는 한겨울이었지만 이곳은 서늘한 가을 분위기였다. 동백은 붉은 꽃망울을 펼치려고 한껏 부풀어 있었다.

우리는 윗새오름에서 잠깐 쉬고 내려오기로 했다. 산 위로 올라갈수록 까마귀들이 점점 많아졌는데 살풍경한 산정에 유유히 날고 있는 검은 까마귀들은 스산한 분위기를 자아냈다. 종종 먹구름이 바람결에 우우 몰려왔다가 다시 사라지곤 했다.

산 위로 올라갈수록 계단이 가팔라 중간에 서서 잠깐씩 숨을 고르곤 했는데 그때마다 앞서가던 유리가 손을 잡아 주었다. 밑에서 기다릴 걸 그랬나? 이 산꼭대기를 오르려고 했던 이유가 뭘까? 학학 숨을 내쉬며 산 정상을 바라보았다. 유리가 길옆에 있는 고사리를 뜯어 주었다.

"우리 동네에 있는 거랑 똑같이 생겼어. 신기해."

"등산화 없이도 잘 걷네?"

"내가 한라산까지 오르게 될 줄은 몰랐어. 이번 겨울방학 짱인걸."

"초긍정 마인드 나도 좀 배우고 싶다."

"자, 고사리 먹고 기운 내."

"가방이 없어 보관을 할 수가 없네. 팔주머니에 넣어 주라."

팔이 흔들릴 때마다 고사리 잎사귀가 흔들렸다.

"선정아, 저기 소나무처럼 생긴 나무가 뭔지 알아?"

"어디?"

"저기 조릿대 저쪽에 서 있는 나무들 말이야?"

"소나무 아냐?"

"'쿠상낭'이래. 안내문에 쓰여 있더라."

"성게의 뾰족한 침과 닮았다고 해서 쿠상, 나무라는 뜻의 낭이지."

"언제 그런 걸 봤니?"

"너는 그런 게 안 보이는 거야?"

자꾸 자의식에 빠져 허우적거리며 느릿느릿 올라가자 유리가 엉덩이를 밀어 주었다. 계속 늘어지는 몸이 유리의 손이 닿을 때마다 바짝 긴장을 하게 되어 간신히 일행들의 뒤를 따라갈 수 있었다.

또 한 번 '휴식년' 팻말을 발견했다.

산도 휴식을 취해야 하는구나. 휴식년이란 팻말이 매달려 있는 한라산 봉우리.

주머니에 들어 있던 핸드폰이 흔들렸다. 잠깐 켜 두었던 걸 깜빡 잊고 있었던 모양이다. 이번엔 발신인이 엄마가 아닌 아빠였다. 엄마 곁에서 조용히 자리를 지키고 있던 아빠가 내게 무언가를 보낸 것이다.

사진 한 장.

아빠 어깨 위에 올라앉아 있는 나, 뒤통수를 찍힌 동생 선호는 아빠의 다리를 잡고 올려 달라고 하고 있는 것 같았다.

아빠는 카메라를 향해 활짝 웃고 있었다.

엄마가 "여기 봐!"라고 할 때 우리 가족은 서로 다른 쪽을 바라보고 있었다.

아빠가 보낸 건 그 사진 한 장이었다. 대부분 엄마가 아빠의 채널이었고 대변인이었고 브레인이었다.

나는 그때 아빠의 어깨 위에 올라앉아 하늘을 처음 보았다. 하늘은 푸르렀고 그 하늘에 희미한 낮달이 떠 있었다.

"아빠, 저게 뭐야?"

"낮달이야."

"낮에도 달이 뜨는 거야?"

"그럼. 보이든 안보이든 달은 거기 있는 거야."

나는 하늘을 보는 게 너무 좋았어. 그때마다 아빠는 어깨 위에 나를 올려 주고 빙빙 돌았지. 아빠의 풀 묻은 작업복은 찐득거렸지만 바지에 풀이 붙어도 상관없었다.

한 아빠가 있었다. 잘 웃어 주긴 했지만 말은 없었다. 그냥 늘 우리 곁에 있었다. 낮달처럼. 내가 피곤해 등교 시간을 놓치면 학교까지 데려다주고, 엄마가 병원을 가는 날은 혼자 벽지 다발을 양손에 들고 아파트로 달려갔다.

아빠의 웃는 얼굴은 슬프다. 홀쭉한 볼에 두 줄의 주름살이 가 있다. 숱 많은 머리카락이 얼굴을 덮어 권력과는 거리가 먼 선량함을 드러내고 있다. 아빠는 대기처럼 나를 지탱시켜 주고 있었구나. 대기가 없는 하늘의 별은 수소 덩어리에 지나지 않는다고 한다. 아빠가 내게 별을 보여 주고 있던 사람인 것이다.

조릿대 우거진 길을 지나자 길 양쪽으로 억새들의 축제였다. 바람이 불 때마다 "수수수" 소리를 내며 쓰러졌다. 그 위로 새까만 까마귀 떼가 둥근 원을 그리며 날아갔다 돌아오곤 하는데 허리를 펴고 내려다보니 구름 아래로 말 농장이 보였다. 먼지처럼 내려앉은 구름 때문에 산 밑은 비현실적으로 보였다.

"너 괜찮아? 좀 쉬었다가 갈까?"

"괜찮아. 마취가 풀리면서 훨씬 나은 것 같아."

"젊은 애가 참 안됐다, 야."

언젠가 유리는 똑같은 소리를 했었다. 몇 달 전 드라이하게 지내자고 하던 살벌함은 자취를 감추고 말았다.

"너나 조심해. 눈 왔으면 우린 여기 올라오지도 못했을 거야."

"이 정도로 길을 잘 닦아 놨는데 뭘 못 올라와? 난 눈이 왔어도 올라올 수 있어."

아침이라 그런지 유리의 목소리는 밤무대 가수보다 더 탁하게 잠겨 있었다.

나는 까마귀 몇 마리만 휘돌고 있는 봉우리를 바라보았다. 모자를 뒤집어쓴 남자가 눈을 감고 있는 모습이었다.

휴게소 앞에서 아주머니 한 분이 따뜻한 물을 한 잔씩 나눠 주었다.

"여기 학생도 한 잔 마셔. 비파잎 차야. 기관지에 참 좋다네."

"언니, 몸에 좋다는 거 믿지 마. 하나 안 맞더라 뭐. 그냥 듣기 좋으라고 하는 말이야."

"앤 기분인데 그렇게 초를 치면 어떡하니?"

아주머니는 눈을 흘기면서 찻물을 권했다.

보온병의 물을 유리와 나눠 먹었다.

"맞아요. 맛있게 먹으면 되는 거죠. 저도 한 잔 주세요."

뚱별 샘도 뜨거운 물을 후후 불어 가며 마셨다.

"맛있네. 보리차보다 나은데요."

"선생님은 이렇게 다니시면 사모님은 싫어하시겠어요. 휴일엔 집에서 서비스해야 하는 것 아닌가요?"

"평소에 잘합니다. 밥도 잘 먹고, 간식도 잘 먹어 주고, 기운이 남아 있으면 설거지도 시키기 전에 능동적으로 하고 말예요."

"아이고, 멋대가리 없는 남편이구만요. 부인이 애쓰신다."

"그 대신 제 책 인세랑 강연료는 다 아내에게 바치잖아요."

"맞다, 맞아. 돈이 최고지. 우리 샘이 딴짓할 분은 아니니까."

유쾌한 뚱별 샘. 나는 종이컵을 들고 상봉을 바라보고 있었다.

'휴식년 – 들어가지 마시오.'

팻말 안쪽으로 반짝이는 눈가루가 흩날리며 내 쪽으로 후욱 끼쳐 왔다. 마치 정체를 알 수 없는 남자가 후욱 날숨을 쉬고 있는 것 같았다.

"선정아, 나 잠깐 화장실 좀……."

유리가 화장실을 가리키며 걸어가는 동안 나는 취한 것처럼 철책 안을 올려다보았다.

쉬고 있으니 들어가지 마시오. 쉬고 있으니 들어가지 마시오. 쉬고 싶으면 들어오시오.

'쉬고 싶으면 들어오시오?'

나는 눈을 크게 뜨고 다시 팻말을 보았다. 눈가루가 흩날려 내 얼굴에서 녹아내렸다.

'그래. 나도 저기에 들어가 쉬고 싶다. 이 울렁거림을 잠재우고 싶다.'

유리가 화장실에 들어가는 걸 보고 나서 나는 홀린 듯 화장실 뒤쪽의 철책 쪽으로 걸어갔다. 산 속에 묻혀 있다면 아무도 나를 찾을 수 없을 것이다. 철책은 강한 재질이 아니어서 손힘으로 휘게 하여 뛰어들다가 허벅지 부분이 긁히고 손바닥에 나뭇가지가 박혔다.

생각보다 계곡의 굴곡은 깊고 눈으로 뒤덮여 깊이를 알 수 없었다. 나는 허방을 밟으며 눈과 함께 계곡 쪽으로 빨려 들어갔다. 눈이 쌓인 계곡을 간신히 나뭇가지를 잡고 건너뛰어 산봉우리 쪽으로 향했다. 다행히 산봉우리로 향하는 능선은 험하지 않았다. 이내 산봉우리 쪽으로 연결되어 있었다. 나는 휴게소에서 아무도 찾을 수 없을 만큼 깊이 들어와 있었다.

'미안 유리야. 이번에는 상처를 주지 않으려 했는데……. 내가 돌아가지 않는다면 이곳에서 쉬고 있다고 생각해 줘. 나한텐 에블린 그레니와 같은 내용물이 없는 것 같아. 내게 남아 있는 건 무게뿐이야. 내용물을 모르겠어.'

꼭대기 쪽에는 시커먼 구름 한 점이 덮여 있고 다른 구름도 몰려오고 있었다. 어느 한 순간 암흑 속에서 나는 고개를 들어 봉우리를 훑어보았다. 방송국에서 온 촬영 팀이 맞은편 봉우리에 있었고 휴게소에는 여전히 소란스러운 관광객들이 컵라면 등속을 들고 동행을 찾아 헤매고 있었다. 윤곽을 알 수 없을 정도로 눈이 깊어 허벅지까지 올라왔다. 밑의 등산로와는 전혀 다른 세계에 들어와 있는 것 같았다.

방향을 잡아 보았다. 지금 보이는 가장 높은 봉우리가 백록담일 것이다. 동북쪽으로 방향을 잡는다. 그리고 계곡을 지나 나뭇가지를 젖히고 능선을 타고 올라갔다.

세찬 바람 때문에 다리가 휘청거렸고 잠바 속으로 바람이 스며 풍선처럼 부풀어 올랐다. 물속에 잠긴 것처럼 숨이 가쁘다. 날숨에 밀려 눈가루들이 휘날렸다. 고개를 최대한으로 숙이고 산짐승처럼 길을 스스로 만들며 기어갔다. 자칫하다가는 바람에 날려 계곡으로 떨어질 것만 같았다.

하늘 위로 또 다른 먹장구름이 몰려왔다. 그리고 몸집 커다란 하늘 위로 까마귀 떼가 지나간다. 하악하악 숨을 쉬며 위를 쳐다보았을 때 사람의 발자국이 찍히지 않은 심연이 하나 놓여 있다. 몹시 어둡고 차다. 나는 고사목 하나를 잡고 기를 쓰며 봉우리 쪽으로 다가간다.

"김선정!"

누가 부르는 건지 모르겠다. 이곳이 고래 뱃속인가 싶었다.

눈이 쌓인 골짜기 안에서 목소리가 웅웅 울려 되돌아왔다. 나는 목소리에 맞서 소리를 질렀다.

"이 몸으로 뭘, 뭘 할 수 있겠냐구!"

이번에는 바람이 몰려와 내 얼굴에 눈을 뿌리고 달아났다. 눈이 녹아 비처럼 얼굴 위로 흘러내린다.

방향을 잘못 잡았던 걸까. 나는 바람 때문에 제대로 설 수도 없는 상황에서, 백록담일 게 분명한, 희고 거대한 봉우리를 보았다. 그리고 망연히 그쪽을 바라본다. 이상한 휘파람 소리를 내며 달려오는 먹구름. 그 순간 나는 기찻길에 나뒹굴고 있을 내 머리통을 생각했다. 소름이 끼쳤다.

"죽고 싶어! 난 죽어 버려야 해!"

일 년 동안 겪은 몰락이, 척추에 꽂혔던 수많은 주사 바늘이, 그리고 날카로운 엄마의 비명소리가 들리는 것 같았다.

"거짓말, 거짓말이야!!"

엄마는 내 머리에 물이 차는 것을 인정할 수 없다고 했다. 왜 하필 우리한테 이런 일이 생긴 거야? 난 벌 받을 일을 한 게 없어. 아니, 여태껏 벌을 받은 것처럼 견디며 살아왔다고!

"외고까지 들어와서 이런 꼴로 공부를 접는 게 말이 되니? 선정아, 말해 보라고."

불쌍한 엄마.

나는 바람에 날릴까 봐 눈 위에 엎드려서 으으으 운다. 급박한 상황이라 눈물은 나오지 않았다. 아무도 한라산 봉우리에 올라 벌벌 떨고 있는 나를 상상하지 못할 것이다. 구름이 걷히면서 눈발들이 바람에 흩날렸다. 날은 아까와는 사뭇 다르게 밝고 맑다.

몇 분 동안 거대한 손이 내 몸을 쥐고 아찔할 정도로 뒤흔든 느낌이었다. 아무 생각도 나지 않았다. 모두 마비된 것처럼 콧물은 제멋대로 흘러내렸고 다리 힘이 빠져 더는 걸을 수가 없었다.

또다시 바람이 눈과 돌을 이끌고 나에게 몰려왔다. 그보다 빠른 속력으로 먹구름이 사방을 뒤덮어 버렸다. 나도 모르게 한쪽 손으로 나무를 잡았다. 새카맣게 죽은 나무였으나 줄기는 아직 튼튼하게 살아있었다. 나도 모르게 두 다리를 튼튼한 줄기에 얽어맸다. 최대한 몸을 밀착하고 바람을 스쳐 보내려고 둥글게 말았다. 어두운데다가 날아오는 돌들 때문에 팔과 다리가 따끔거려서 제대로 긴장을 풀 수가 없었다. 나는 한쪽 손으로 나무 주변을 더듬다가 나무껍질을 쥐게 되었다. 나무껍질이 이렇게 물컹거릴 수 있나? 손을 펴 날려 버리고 떨어져 나가지 않으려고 기를 썼다. 이 바람에 날려 가다가는 어떤 계곡으로 굴러떨어질지 알 수 없었다.

"아악!"

바람이 내 입을 막아 버렸고 그 다음 말까지도 꿀꺽 삼켜 버렸다.

눈발 대신 모래와 자갈이 얼굴을 쑤시고 들어올 것처럼 강타했다. 정신이 번쩍 들 만큼 큰 자갈들이었다. 누군가로부터 온몸을 두드려 맞고 있는 것 같았다. 3분쯤 지나자 바람이 잦아들었고 구름 또한 자취도 없이 사라졌다. 나는 부둥켜안았던 손을 풀고 벗겨진 나무껍질 부분을 보았다. 부드럽게 벗겨지던 부분은 나무껍질의 질감이 아니었기 때문이었다. 눈밭에 서 있는 고사목에는 오종종한 야생 버섯들이 나무껍질처럼 한쪽 면을 뒤덮고 있었다. 나는 아까처럼 나무줄기를 만져 보았다. 동글동글하게 뭉쳐져 있던 버섯들이 부드럽게 눌렸다. 주머니를 뒤져 보았으나 휴대폰이 사라져 버렸다. 강풍에 날아간 모양이었다.

나는 그제야 나무에서 떨어져 바닥에 누웠다. 골짜기에는 쌓여 있는 흰 눈 때문에 눈이 시렸고 잔뜩 긴장했던 몸이 아직도 부들부들 떨렸다.

주위에 엉망으로 떨어져 있는 돌덩이들을 보았다. 거기에 내 머리통도 놓여 있는 것 같았다. 이제 삼 일이 흘렀으니 꺼멓게 색이 바래 있을 것이다. 기찻길에 벗어 놓은 운동화와 파카 잠바, 그리고 용기를 낼 수 없어 마셨던 소주병.

나는 누워서 말갛게 개어 오는 하늘을 올려다보았다. 눈물을 훔칠 힘도 없어 얼굴 위에서 녹았다가 말라 버렸다.

갈비뼈가 뻐근할 정도로 울음이 거칠고 깊었는데 텅 빈 공간에 혼자 있다는 생각이 든다. 외롭다. 내 몸의 뜨거운 온도가 식어가고 있는 것처럼 추워서 부들부들 떨린다.

나는 몸에 묻어 있는 흙먼지를 털어 내고 강풍에 휩쓸리지 않게 나를 지탱해 준 고사목을 훑어보았다. 너무 강한 바람 속에서 살았기 때문인지 성인 남자 키보다 조금 큰 정도였다. 나무의 종류를 알아볼 수 없을 정도로 다 떨려 나가고 앙상한 가지만 남아 있었다.

휴게소에서 사람들의 고함소리가 들려왔다. 뚱별 샘 일행과 유리였다. 귀를 간지럽히는 정도의 데시벨. 유리의 탁하고 쉰 듯한 목소리가 이렇게 선명하게 들린 것은 처음이었다.

"선정아, 김선정! 너 거기 있는 거야?"

나에게 정확한 메시시를 주는 것 같았다. 휴게소 철책을 뚫고 내 이름을 부르는 사람들의 고함소리가 들려오다니. 힘이 풀린 다리가 휘청거려 기어서 철책 쪽으로 가야 했다.

11
불의 냄새를 맡다

지난 밤 잠을 제대로 못잔 탓인지 화장실의 따뜻한 공기를 만나자 긴장감이 확 풀렸다. 한라산에 오를 때까지만 해도 생생했는데 따뜻한 공기는 오히려 피로를 몰고 오는 것 같았다. 화장실 온열기에서 아지랑이 같은 김이 모락모락 올라오고 있었다.

"음, 따뜻해."

카페 팀으로 함께 올라온 언니들이 호들갑스럽게 말했다.

"정상이라 바람이 장난 아니네. 얕보고 그냥 올라왔다간 큰일 나겠어."

"고사목들 봤지. 바람을 못 견디고 죽은 나무들 말이야."

"그 바람 속에 우리가 서 있다고 생각하니 쫌 으스스하다."

산 위에서 맞는 바람은 강도가 달랐다. 언니들의 말소리가 멀어지는 걸 느끼며 나는 변기에 앉아 꾸벅꾸벅 졸았다.

얼마나 시간이 흐른 걸까?

잠에서 깨어나 밖으로 나갔을 때 쌓여 있던 눈들이 사금처럼 공중에 날리고 있었다.

나는 대피소 앞에 서 있던 자리로 돌아가 선정을 찾아 두리번거렸다. 옹기종기 모여 있는 별똥별 회원들이 야호를 외치고 있었지만 그 사이에 선정은 없었다. 대피소를 드나드는 등산객들 속에도, 대피소 난로 주위에 앉아 라면이나 커피를 마시고 있는 사람들 틈에도, 산꼭대기 카메라와 금속 탐지기를 들고 오가는 방송국 취재팀 속에도 선정은 보이지 않았다. 전화기는 꺼져 있었는데, 카페 회원들은 선정이 사라진 것조차 모르고 있었다. 시간은 십오 분 정도 흐른 후였다. 모두 나와 함께 화장실에 들어간 줄 알고 있었다.

심장이 먼저 쿵쿵거리기 시작했다.

'휴식년 – 들어가지 마시오.'

이상하게 하얀 봉우리 안으로 선정이 들어갔을 것만 같았다. 비현실의 세계처럼 햇빛에 반짝이는 눈발들이, 초속으로 달려가는 구름들이 세이렌[5]처럼 부르고 있는 것 같았다. 선정은 "들어가지 마시오."라는 경고 문구 속으로 들어가 버린 게 확실했다. 휴식년으로 쉬고 있는 상봉으로 뛰어들지 않고 이렇게 감쪽같이 사라질 곳이 없었다. 능선이 완만해서 대피소 주변으로 뛰어내릴 절벽이 없는 것이다. 철책을 넘어가야 벼랑이 있고 가파른 능선을 타고 상봉 정상으로 넘어갈 수 있었다. 나는 혼자 대피소 안을 들여다보고 남자 화장실 쪽도 기웃거렸다.

발을 동동 구르고 있을 때였다.

낯선 전화번호가 핸드폰 화면에 떠올랐다. 세 번째 벨이 울릴 때까지 나는 망설이며 받지 않았다. 불길한 예감 때문이었다. 통화 버튼을 눌렀는데 무전기 소리와 남자들의 다급한 목소리가 함께 들려왔다.

"여보세요?"

선정 엄마의 목소리였다. 나는 답하지 않고 가만히 있었다. 선정이 사라졌다고 말하면 일부러 그런 거 아니냐는 악다구니가 돌아올 것 같았다.

"유리 학생. 맞지? 같은 반이라는 소릴 들었는데, 혹시 우리 선정이 소식 들었는지 물어보려고……."

목소리는 불안하게 흔들리는 울음소리 같았다. 선정 엄마의 목소리는 단단하고 이성적이라는 느낌이었다. 보통 여자들보다 낮고 강강한 말투, 그리고 단호한 거절.

세이렌: 그리스 신화에 나오는 바다의 요정. 여자의 얼굴과 새 모양을 한 괴물로, 이탈리아 근해에 나타나 아름다운 노랫소리로 뱃사람들을 홀려 죽게 했다고 한다.

"왜요?"

나는 하얗게 눈이 덮여 있는 상봉을 살피며 전화를 받았다.

"사흘째 선정이가 연락을 안 하네. 경찰에 신고하고 여기저기 알아보다가 우연히 유리 학생 소식을 듣게 되었어."

"또래끼리 아이들이 그러던가요?"

"응, 부산으로 갔다기에 우리 선정이도 같이 갔나 싶어서 말이야."

"아니요. 같이 오지는 않았어요."

"하, 도대체 어딜 간 걸까……?"

한숨소리가 깊고 절망적이었다.

"사실은……. 저랑 제주도에 왔어요. 선정이가 꼭 가고 싶어 하는 천문학 카페 모임이 있어서요."

"정말? 그럼 살아 있는 거지?"

급하게 반문하는 선정 엄마에게 어떻게 대답해야 할지 걱정이었다. 평소의 목소리보다 몇 옥타브가 올라가 있었고 정신이 없는 목소리였다. 오직 아들에 대한 불안과 걱정으로 가득 차 있는 목소리 말이다.

"지금 잠깐 어디 갔는데 돌아오면 전화하라고 할게요."

"꼭 좀 부탁해. 유리 학생. 우리 선정이가 병원에서 돌아오고 나서는 정말 이상한 짓을 많이 했어. 어릴 적 사진들을 다 태워 버렸더라구."

마지막 말을 듣자 머리털이 쭈뼛 서는 것 같았다.

'그랬었구나!'

선정 엄마의 말에서 모든 미심쩍었던 일들이 줄줄이 꿰어져 다 연결이 됐다. 따라오겠다는 나를 왜 그렇게 반대했는지, 꼭 가 보고 싶다고 했던 카페 번개 모임을 느닷없이 오게 된 것도 다 이해가 된다. 선정인 자신의 무게를 견딜 수가 없을 만큼 살기 싫었던 것 같다.

내가 생각했던 어둠 그 이상이었다. 이런 상태로 우리가 또래 상담을 했으니 반응이 시큰둥할 수밖에 없었던 것이다. 선정과 헤어지고 나서 나 혼자만 괴로움의 시간을 보낸 줄 알았더니 그게 아니었구나.

구구절절 내게 보냈던 편지는 뭐야? 크고 무거운 운석 덩어리로 머리를 쾅 맞은 것 같은 느낌이었다.

바보 같은 자식! 넌 정말 친구를 배신하고 성공한 빠꼼이들보다 더 저질이야. 넌 내 목소릴 훔쳐갔어. 내 가장 빛나는 부분을 가져가 버린 거야, 나쁜 자식아.

그런데 넌 왜 빛나는 별이 되지 못했니? 왜 떨어져 내리려 하는 거야?

하늘이 마치 저주를 내리는 듯이 어두워지더니 암흑천지가 되어 버렸다. 마른번개가 치면서 먹구름은 시속 120킬로미터가 넘는 속력으로 북쪽으로 날아갔다. 먹구름이 가 버리자 다시 온 산은 감쪽같이 반짝이는 본모습으로 돌아왔다.

선정이 저기로 올라간 걸까? 나는 휴식년이라는 철책 너머의 상봉을 올려다보았다.

"선정이가 없어졌어요! 어딘가로 가 버린 것 같아요."

휴식년에 들어간 산꼭대기 쪽으로 걸어 들어간 게 분명했다.

뚱별 아저씨는 놀란 것 같았지만 허둥대지 않았다. 행동은 침착하고 빨랐다.

"왜 갑자기?"

"갑자기가 아니에요. 희망이 없었거든요."

"오랜만에 만나서 그간에 우여곡절이 있었던 걸 몰랐구나. 무슨 일이 있는 거야?"

"예. 좀 심하게요."

"혹시 우울증을 앓고 있지는 않았어?"

나는 잘 모르겠다고 말했다. 그게 우울증인가? 우울증 2기라고 상담일지에 썼던 게 기억난다. 머릿속이 뒤죽박죽되어 정신이 없었다.

"이곳에 올 때 한 번 끔찍한 일이 있었대요. 목격한 사람이 있어요."

출입이 통제된 상봉 꼭대기에 방송국 깃발을 달고 있는 남자들이 이동하고 있었다.

"방송국은 저렇게 산을 헤집고 다녀도 되는 거예요?"

"사람들 관심이 있는 곳이면 어디든 가는 거란다. 저렇게 막 짓 밟고 다녀도 면책권이 있지."

"어떡해요?"

나는 선정의 냄새와 감촉을 생각해 냈다. 그의 몸에서 느껴지던 열기까지. 나에게 이렇게 절실한 문제인데 녀석은 아무렇지도 않 게 찢고 나가 버린 것이었다.

"진정하고 조금 더 찾아보자. 죽으려는 아이 같지는 않았어. 무 언가 질문하고 있는 눈빛이었거든."

"감정 기복이 심해요. 저한테 전화했을 때는 거의 폭발 직전이 었다구요."

"일단 대피소를 기점으로 나눠서 찾아보자. 사진 갖고 있는 것 없어? 유리 학생."

사진? 사진이라고?

선정인 2학기에 전학을 왔기 때문에 학급 사진을 찍은 적도 없 었다. 게다가 축제날 행사가 끝나고 사진을 찍는 시간이 있었지만 역시 선정은 빠져 있었다. 우리는 어느 순간 선정을 반쯤을 잊고 지냈던 것 같다. 비실비실하는 아이, 머리 쪽이 아픈 아이, 외고생 이라 뭔가 있는 줄 알았으나 허당이었던 아이. 은채 같은 멋진 여 자애가 들이대도 꿈짝도 하지 않던 아이.

나는 핸드폰을 열어 선정의 얼굴이 찍힌 사진이 있는지 찾아보았다. 하나도 없었다. 가방에서 얼른 연습장을 꺼내 대충 선정의 모습을 그렸다.

얼굴은 부어 있고 눈꺼풀이 부어올라 있지만 원래는 갸름하고 다부져 보이는 얼굴이다.

키는 180센티미터 정도이고 팔이 껑뚱한 남회색 작업복을 입고 있다. 머리는 반삭인데 자를 때가 지나 옆머리가 고슴도치처럼 삐죽하게 서 있다. 웃을 때 왼쪽에 보조개가 생긴다. 수줍음을 타서 대부분 고개를 숙이고 웃는다. 얼굴에 비해 귀가 작고 도톰하다.

나는 대피소 주위를 돌며 선정의 얼굴을 보여 주었다. 다시 못볼 수도 있다는 불안감 때문에 정신이 하나도 없었다. 비파차를 주었던 아주머니들과 뚱별 아저씨, 깃발을 둘둘 말고 올라온 분들도 내 엉성한 그림을 폰에 담아 선정을 찾으러 돌아다녔다.

뚱별 아저씨는 한라산 관리사무소에 전화를 걸었고, 곧이어 119에도 구조를 요청했다. 철책 안에서 봉우리를 향하고 있는 남자애를 본 것 같다고 했다. 화장실에서 나와 마주쳤던 언니들이었다. 눈에 파묻힌 나무 사이로 사람이 움직여 방송 팀으로 가는 사람인 줄 알았다는 것이다. 구조 요원들이 올 때까지 우리는 상봉 쪽을 향해 소리를 지르기 시작했다. 사납게 불어오는 바람에 먹히지 않으려고 나는 내가 낼 수 있는 가장 큰 소리로 선정을 불러댔다. 우렁차게 내지르는 다른 목소리들에 비해 갈라지고 잦아드는 내 목소리 때문에 울고 싶었다. 정말 악몽 같은 목소리였다. 또다시 가 버린 선정 때문에 나는 정말 죽을 것만 같았다.

'선정아, 제발 돌아와! 네 안의 어둠이 어느 정도인지는 모르겠어. 그래도 온몸을 어둠 속으로 몰아넣어선 안 돼! 넌 혼자인 줄 알지만 안 보이는 무수한 사람들이 손을 잡고 있는 거야. 너를 보고 있는 뜨거운 눈길들을 기억하길 바래! 김선정 제발 돌아와!'

내 목소리는 이미 잠겨 거친 호흡만이 반복될 뿐이었다. 이 낯선 곳에서 선정이 마저 없어졌다고 생각하니 온몸에 소름이 돋아올랐다. 헬리콥터의 소리가 들려오기 시작했을 때 철책 쪽으로 거뭇한 형체가 움직이고 있는 게 보였다. 눈을 뒤집어쓴 선정의 모습이었다. 산짐승처럼 몸을 구부린 채 철책을 잡고 헉헉거렸다. 온몸을 땀과 눈으로 범벅이 되어 축축하게 젖어 있었고, 얼굴과 손을 시뻘겋게 달아올라 있었다.

"저 여기 있어요! 넘어갈게요!"

구호대원들이 카키색 담요로 선정을 덮어 주고 손을 잡아 주었다. 손난로를 옷 속으로 넣어 주고 새 양말을 신기고 따뜻한 물을 먹였다. 주위의 웅성거리는 소리. 나는 얼른 선정에게 다가갔다.

"왜?"

나도 모르게 악을 써댔다.

"왜 그랬어? 이 나쁜 놈아?"

"나도…… 잘 모르겠어."

"죽으려고 그랬니? 정말 죽으려고 했어?"

"……."

"도우미랍시고 너한테 구구절절 했던 말들이 아깝다."

"그만해. 그러게 오지 말라고 했잖아."

"약해 빠져 가지고. 넌 경쟁에서 지는 삶이 두려워서 그러는 거지?"

내 악다구니에 선정은 담요에 얼굴을 박고 말았다.

뒤통수를 맞은 기분이었다. 나와 손을 잡고 있는 줄 알았는데, 마음의 줄이 서로를 붙들고 있는 줄 알았는데 선정이는 그게 아니었다고 생까고 있는 거다.

몸이 부들부들 떨렸다.

"유리 학생. 그만해. 선정이도 쉬게 해 줘야 할 것 같아."

상봉 쪽으로 몰려가는 먹구름은 색깔부터가 달랐다. 바람과 함께 달려가는 먹구름 밑에서 나무들을 잎이란 잎은 다 떨어뜨린 상태로 앙상하기 짝이 없었다. 산 정상에서 몸도 성치 않은 선정이 세찬 바람을 어떻게 견뎠을까? 마음이 아팠지만 화가 나는 건 어쩔 수 없었다.

"보호자 분 누구십니까?"

뚱별 아저씨와 내가 선정과 함께 헬기 쪽으로 갔다.

"선정이 상태를 보고 다시 돌아올게요. 우리 단톡으로 연락합시다. 일단 산을 내려가셔서 카페에 모여 계세요."

선정의 이동 침대가 헬기로 옮겨지는 동안 나는 선정을 다시 잃을까 봐 불안했다. 선정은 눈도 깜빡이지 않고 하늘을 바라보고 있었다. 진동과 소음 때문에 대화를 할 수가 없었다. 나는 아직도 차디차게 얼어 있는 선정의 손을 잡았다. 손난로를 쥐고 있는 손에 조금씩 따뜻한 기운이 되돌아오는 것 같았다.

나는 선정 엄마에게 문자를 보냈다.

"선정이 찾았어요. 걱정하지 마세요. 금방 전화하라 그럴게요."

그리고 선정에게 보여 주었다. 곧바로 전화가 왔지만 '거절'을 눌렀다. 소음 때문에 헬기에서 내릴 때까지는 통화 자체가 불가능이었기 때문이다.

– 뭐라 사과를 해야 할지…….

그리고 금세 긴 문자가 하나 더 왔다.

– 엄마가 기다리고 있다고 말해 주세요. 뭐든 원하는 대로 해
  주겠다고. 살아만 있어 달라고. 부탁합니다.

다시 선정에게 보여 주었다.

"엄마가 보고 싶어."

"엄마, 오시라고 문자 보낼까?"

선정은 아무 말 하지 않았다. 나는 선정이 무슨 생각을 하는지 알 것 같았다. 야간에 횟집으로 일하러 가는 엄마, 아빠를 생각하

는 것 같았다.

"열은 없는데 손과 발이 심하게 얼어 있어서 동상의 우려가 있어요. 우선 제주 병원으로 옮겨 주세요. 다른 쪽도 검사해 봐야 하니까 가장 큰 병원으로 가야 합니다."

뚱별 아저씨는 허술해 보이는 외모와는 달리 강단이 있고 추진력도 있었다. 우리는 헬기에서 내려 구급차로 바꿔 탔다. 구급차는 도로로 들어서자 요란한 경적을 울리며 제주 시내를 달려갔다. 나는 잠이 들었다 깼다 하는 선정의 얼굴을 바라보았다. 열이 내리면서 입술이 시커멓게 타 피딱지가 앉았다. 하지만 불안하기만 하던 눈동자가 어느 정도 진정된 것처럼 보였다.

"선정이가 우주에서 와서 그런가 사람 엄청 놀래킨다. 내가 번개 생활 십 년 만에 이렇게 놀란 날은 처음이었어."

"우주인이라고요?"

구급대원 아저씨가 캡을 벗으면서 물었다.

"우리가 동호회 모임 회원들이거든요. 이 학생 닉네임이 '우주소년'이랍니다."

"큰일 나. 그 골짜기 눈이 덮여서 그렇지 낭떠러지라 정말 운 좋게 산 거야. 그렇게 현실 감각이 없어보이진 않는데 사랑싸움이라도 한 거야?"

"네? 저 너무 억울해요."

"한유리, 난 괜찮으니 넌 뚱별 샘과 같이 가."

"김선정, 아직 내가 보호자야. 너희 부모님 아직 도착하지 않았다고."

선정은 픽 웃었다.

"이제 미안하다고도 못하겠다."

"빨리 잠이나 자. 이 자식아."

"나 너무 추워. 내 손 좀 잡아 줘."

앞에 타고 있던 구급대원이 핫팩을 이동 침대 밑바닥과 옷 속으로 넣어 주었다.

"난 네 머릿속이 정말 궁금해."

"우리 유리 학생이 화가 많이 났구나. 지금은 선정이가 쉬어야 할 것 같은데, 내가 손을 잡아 줄게."

뚱별 샘이 담요 밑으로 손을 넣어 선정의 몸을 녹여 주었다.

"선정아, 우리들 다시 보니까 좋지? 네가 없으면 우리도 없는 거다. 다른 맘먹으면 안 된다. 알았지?"

도로 위를 질주하는 앰뷸런스가 덜컹 흔들릴 때마다 뚱별 샘의 목소리도 함께 흔들렸다.

"선생님, 선정이 괜찮은 거죠?"

"아까는 눈동자가 풀려 있어 걱정했는데 지금은 걱정 안 해도 될 것 같아."

나는 불안감이 어느 정도 가라앉자 분노가 폭발했다.

"선생님, 애가 얼마나 황당한 새긴지 아세요?"

"둘이 연인인 줄 알았더니 아닌가 보네."

"사이가 좋긴요. 제가 이번이 두 번째 배신을 당한 거거든요. 기가 안 막히게 생겼나요?"

어젯밤 우리가 함께 불렀던 노래가, 편의점에서 사 먹었던 아이스크림이, 내 블로그를 보면서 나눴던 대화들이 떠올라 정말 억울하고 분통 터지는 날이 되었다.

선정을 응급실로 옮긴 후 경찰 두 명이 찾아왔다. 사건의 경위를 적으면서 뚱별 샘과 나에게도 이상한 점이 없었는지를 물어보았는데 내가 생각하는 이상한 점은 진통제를 두 알씩이나 먹었던 것이었다. 경찰들이 돌아가면서 선정 때문에 철책은 더 튼튼한 재질로 바꾸었고 대피소에는 경찰이 상주하게 되었다고 전했다.

뚱별 샘은 한동안 선정의 부모님과 이야기를 나누었다. 내가 무슨 말인가 하고 싶었으나 여러 가지 찔리는 부분이 있어 나서서 대화를 나눌 수가 없었다. 카페 번개 때문에 제주로 온 것이었고 선정은 실족을 한 것으로 정리가 되었다. 뚱별 샘과 나는 늦은 오후가 되어서야 회원들이 모여 있는 제주 아라동 근처로 향할 수가 있었다. 운석 연구소의 발표에 의하면 '오디너리 콘드라스트5H' 운석 조각이 아라동 근처에 열 개 이상 떨어졌을 거라고 했다. 운석이 현금가로 거래된 건 얼마 되지 않아서 구체적인 법 규정이 생긴 것은 아니었다. 그렇기 때문에 아직은 먼저 줍는 사람이 임자인 것이다. 요즘은 '어게인 별똥별'과 비슷한 성격의 카페들이 많아졌기 때문에 몰려다니는 사람들이 주로 카페 중심으로 생기기 시작했다고 한다.

뚱별 샘은 지팡이처럼 생긴 금속 탐지기를 꺼내면서 열댓 명의 회원들에게 운석 자료집을 나눠 주었다. 청소기처럼 팔에 걸고 운석을 찾는 그의 모습은 땅을 고르고 있는 농부 같았다. 열 명이 넘는 사람들은 모여서 돌을 고르다가 시간이 흐르자 뿔뿔이 흩어져 돌을 찾아보고 뚱별 아저씨에게 뛰어갔다. 감귤 하우스 부근에 있는 돌들은 현무암이 대부분이었다. 주황색 등산모를 쓴 카페 회원들이 거뭇한 돌을 가져오면 탐지기를 대 보고 손저울로 달아 보았다. 운석은 보통 돌보다 네 배 정도 무겁고 돌 표면은 불에 달구어진 듯 거뭇하며 눌려진 흔적이 있다고 했다. 철 성분이 많아 금속 탐지기에 닿게 되면 '삐익' 하는 굉음을 낸다고도 한다.

'우주 어딘가에서 날아온 돌덩이가 이곳에 있다니!'

나는 감귤 하우스 부근을 돌아다니며 중얼거렸다. 고만고만한 현무암들이 모여 있기도 하고 흙 속에 파묻혀 있었다. 날이 따뜻하다 해도 풀은 다 사라져 버린 한겨울이었다. 열려 있는 하우스 문을 닫고 지지대 역할을 하는 돌 하나를 보았다. 보통의 현무암처럼 생겼으나 홈이 훨씬 큰 것 같았다. 그리고 돌에 코를 박고 큼큼거렸다. 불의 냄새가 나는 것 같았다. 선정의 냄새였다. 나는 돌을 들어 무게를 가늠해 보았다. 보통 돌보다 훨씬 무거운 느낌!

손에 꼭 쥐자 짱돌을 든 느낌이 들었다. 심장이 쿵쿵 뛰기 시작했다. 얘가 5억 년 전 어떤 별에서 온 애란 말이지? 유성으로 불에 타면서도 부서져 사그라지지 않고 여기까지 온 짱돌이란 말이지?

나는 선정이 뭘 알고 나에게 가 보라고 했나 싶었다. 그 앤 천재인지 바본지 헷갈리는 오타쿠이기 때문이다. 나는 묵직한 짱돌을 들고 다시 한 번 큼큼 냄새를 맡아 보았다. 뜨거운 불길의 냄새가 났다. '그 바보 자식이 설마 내가 찾을 걸 알고 그랬겠어?' 하면서도 기분은 아주 좋았다. 다른 건 몰라도 난 불의 냄새를 맡는 데 조금 남다른 것 같았기 때문이다. 느낌이 좋다. 금속 탐지기가 요란하게 울릴 것 같은 예감이다.

12
에필로그

모의고사를 치렀지만 나와 애라는 석식을 챙겨 먹기로 했다. 애라가 좋아하는 등갈비찜이 메뉴로 올라와 있었기 때문이다. 점수는 쉽게 오르지 않았다. 잠깐 절망적인 표정을 지었지만 기분은 금방 원상 복귀되었다. 국어책을 '굵어'로, 역사를 '엿사'로 바꾸는 아이들이기 때문이다. 전국에서 몇 등을 하건 인생이 그렇게 크게 달라지지 않는 걸 안다.

나는 발포 비타민을 타서 애라에게 건넸다.

"잘 봤어?"

물에 가라앉은 비타민이 부글부글 끓어올랐다.

"잘 보긴 개뿔!"

비타민이 시큼해 나는 얼굴을 찡그리며 입맛을 다셨다. 야자를 해야 하나 말아야 하나?

"아, 짜증나. 밥은 질고 등갈비찜은 너무 짰어."

애라는 거짓말을 하고 있었다. 음식 맛은 괜찮았다. 생각만큼 성적이 안 나왔기 때문이다.

나는 픽 웃음이 나왔다.

애라가 나를 째려보았다.

"넌 잘 봤냐?"

"그럴 리가 있겠니? 니가 못봤는데."

나는 급식실을 나오면서 들고 있던 책을 내려놓고 애라에게 귓속말을 했다.

"송애라, 오늘 그냥 쨀까?"

귀가 간지러운지 애라가 어깨를 움츠렸다.

"어디 가게?"

"곰탱이처럼 공부만 하면 뭐 하니? 문텐하러 가자."

애라는 창밖을 바라보면서 말했다. 황사가 오려는지 밖은 뿌옇게 흐렸지만 봄 햇살이 따뜻하게 내려오고 있었다.

"냥냥월드 갈까?"

얼마 전 새로 생긴 고양이 카페였다. 차 한 잔을 시켜 놓고 고양이 캐릭터 상품을 구경하고 고양이랑 놀다 올 수도 있는 곳이었다. 같은 반 친구들이 주말에 다녀와서 아이들에게 소개하자 너도 나도 방문을 벼르고 있었다.

"오늘 엄청 붐빌걸. 시험 보고 멘붕 온 애들이 어딜 가겠니."

"그럼 어딜 가자는 거야?"

애라는 짜증을 부렸다.

"좋은 자리가 있어."

나와 애라는 학교 허락도 없이 일찍 학교를 나섰다.

"누나들 어디 가세요?"

새 선도부장이 된 2학년 코봉이가 인사를 했다. 교문 앞을 지키던 1학년 애들도 함께 애라에게 인사를 했다.

"선생님 심부름."

애라는 선도부 후배의 등을 두드려 주었다. 1학년이라 해도 삼십 센티미터나 키가 큰 후배에게 꿀리지 않는 모습을 나는 신기한 듯 바라보았다.

"잘 다녀오세요."

"그래 코봉아 수고!"

버스 정류장에는 새로운 빌라들이 들어서서 소망탑을 뭉개 버렸지만 길 맞은편으로 재건축 바람이 불어 또 다른 빈 공간들이 생겼다.

"유리 너 인서울도 못하면 어쩔 건데?"

"어쩔?"

"점점 어려워지는 거 같아. 젠장."

"맞아. 된장, 고추장, 간장."

"야, 저쪽에 공터가 생겼어. 우리 소망탑 좀 쌓고 가자."

"오늘은 뭘 빌 건데?"

"지긋지긋한 모의고사 폐지."

"그건 너무 멀고, 난 내일 석식으로 상어떡볶이 콜."

"그거 좋네. 학교에서 캡사이신 덩어리를 줄 린 없겠지만."

"모르는 거야. 우린 내공이 대단하잖아."

애라의 눈동자가 반짝거렸다. 소망탑의 간절한 바람이 늘 현실로 이루어졌기 때문이었다.

"그래. 던지자."

벚꽃이 흩날리고 있는 거리는 아름다운 공간이었다. 애라는 버스를 타고 가면서 나에게 말했다.

"이 아름다운 날 집에 그냥 가기 싫다. 우리 다이소 좀 들르자."

애라가 다이소를 가리켰다.

"귀찮아. 그 대신 내가 재미있는 걸 보여 줄게."

"뭔데?"

내가 벤치에 앉아 애라에게 보여 준 것은 동영상이었다.

어게인 별똥별 카페 회원이 보내 준 속초 탐사 여행 동영상이었다.

첫 번째 영상은 한쪽 손바닥을 뒤덮은 동전들의 모습이었다. 500원짜리, 100원짜리, 10원짜리 동전들이 수북이 쌓여 있었다.

두 번째 동영상은 모래를 뒤져 동전을 찾아내는 장면이었다.

– 우주소년 님. 뭘 좀 찾으셨어요?

– 네. 금속 탐지기가 반응한 곳을 파 보니 이게 나왔네요.

손으로 흙을 닦아 내자 까만 동전이 모습을 드러냈다.

– 500원짜리 동전 아닙니까?

– 그렇습니다.

– 아이고. 득템하셨네요.

– 감사합니다. 말뚝이 님도 열심히 찾으시지요.

– 예. 알겠습니다. 우리가 이런 잔챙이 돈 찾으려고 금속 탐지
기를 산 겁니까?

– 뭐가 어때서요? 이렇게 찾다 보면 멋진 운석도 나오는 겁
니다.

– 우주소년. 나는 왠지 물고기가 된 듯한 느낌이 듭니다. 당신
에게 낚인 것 같군요.

– 말뚝이형님. 휴일에 맞춰 멀리서 달려온 동생한테 이러깁
니까?

한 남자가 금속 탐지기를 다른 남자의 얼굴에 갖다 댔다.

– 반성합니다. 우리 계속 찾도록 합시다.

모자를 쓴 두 명의 남자가 모래사장을 또 헤매고 있었다.

동영상을 보던 애라가 말했다.

"애는 어디서 많이 본 애 같은데?"

"김선정이야."

"땅 파는 애가?"

"어. 마스크 써서 몰라봤지?"

"이게 뭐하고 있는 거야?"

"하나 더 보여 줄게."

다음 동영상은 파리채처럼 생긴 탐지기가 모래사장을 뒤지는 장면이었다. 몇 개의 동전을 거쳐 작은 돌을 파내는 장면에서 우주소년 주위에 사람들이 모여 웅성거리고 있었다. 돌멩이는 손가락 세 마디 정도 되는 작은 것이었다. 그런데도 데시벨 강도가 센 것으로 보아 철 성분이 많이 들어 있는 것 같았다.

마스크를 쓴 선정이 새까만 돌을 들어 보이고 동영상을 찍던 말뚝이 님이 뽀뽀를 하면서 동영상이 끝이 났다. 어젯밤 업로드된 동영상이었다.

"애가 뭘 찾은 거야?"

"운석."

"집에서 쉰다고 하더니 쉬고 있는 게 아니네. 열일을 하고 있군 그래."

"쉬고 있기도 하고 일을 하고 있기도 하지."

"그러고 보니 너희 뭐야? 아주 가까운 사이처럼 보이는데?"

"그렇게 됐어. 사연이 긴데 나중에 말해 줄게."

"내가 은근 김선정 찜해 놓고 호시탐탐 노리고 있었는데……. 나쁜 년!"

나는 빙그레 웃으며 애라를 마주 보았다.

"선정인 우리 카리스매라도 감당 못할 무거운 애야."

애라는 학기 초에 들것에 실려 병원으로 간 선정의 마지막 모습을 기억해 내고는 고개를 끄덕였다.

"맞는 거 같다. 유리니까 사귈 수 있는 거지."

"다행히 완치될 때까지 치료비 없이 병원을 다니게 되었어."

"정말?"

"서울 Y병원에서 임상 실험 환자가 된 거지."

"통화 한 번 해도 돼?"

"지금 고속버스 타고 돌아오고 있을걸. 잠깐만."

나는 한 뼘 통화로 선정에게 전화를 걸었다.

"왜? 유리야."

낮고 부드러운 선정의 목소리가 흘러나왔다. 애라는 고개를 갸웃하면서 둘에게 무슨 일이 있었던 거지 생각했다.

"선정아. 행운의 별똥별을 주웠으니 한턱 쏴. 애라가 너한테 할 말 있대."

나는 애라에게 전화기를 건네주었다.

"김선정. 용서해라. 우리 유리짱 남친인 거 모르고 까불었다."

전화기 속에서 선정이 껄껄 웃었다.

"갑자기? 학교 다닐 때 너 무서웠어. 정말."

"빨리 나아서 우리 유리랑 잘 사귀어 봐. 정말 괜찮은 애거든."

"나도 알아."

"너희가 결혼해서 아들딸 낳기를 기도할게."

"무슨 소릴 하는 거야?"

선정이 질겁했다.

"우리 엄마 어린이집 하시거든."

전화기 속에서 웃음소리가 더 커졌다.

나는 전화기를 빼앗으며 말했다.

"야, 너무 멀리 갔다 너. 지금 간신히 마음잡고 치료받고 있는 애한테 무슨 소리야?"

"사람 일이란 모르는 거지. 암튼 유리짱은 연애도 남다르게 한다니까."

나와 애라는 공원에 앉아 휴대폰 사진첩에 담아 온 엄지손톱만 한 펜던트를 들여다보았다. 조만간 똥별 샘이 보낸 운석이 도착할 것이라고 공지사항이 떴다. 합금으로 끝을 묶어 제법 근사하게 꾸민 건 똥별 샘의 아이디어로 보인다.

날은 어두워지고 있었지만 따뜻한 바람 때문에 스산하지 않았다.

조금 단단한 목걸이 줄을 사야겠다. 열두 개로 쪼개지긴 했지만 이 운석의 뜨겁고 단단한 느낌은 아직도 생생하게 기억하고 있었다.

"오늘 문텐도 괜찮은 거 같네."

내가 말하자 애라가 "앙큼한 것!" 하며 눈을 흘겼다.

나와 애라는 공원에 앉아 휴대폰을 들여다보기도 하고 하늘을 올려다보며 벤치에 누워 있기도 했다. 애라가 내 허벅지를 베고 잠 들어 있는 동안 나는 에블린 글레니의 나무 실로폰 연주를 들었다.

집에 돌아왔을 때 아파트 경비실에는 조그만 택배 물건이 놓여 있었다. 몇 달 동안 노심초사 기다렸던 제주도 운석 펜던트였다. 플라스틱 상자에 담겨 있는 운석에서는 불의 냄새가 나는 것 같 았다. 선정에게 이 뜨거움과 단단함을 선물해야겠다고 생각했다.

어게인 별똥별

초판 1쇄 발행 2018년 9월 20일

지은이 박윤우
펴낸곳 글라이더 **펴낸이** 박정화
편집 김동관 **일러스트** 장유지 **디자인** 디자인뷰 **마케팅** 임호

등록 2012년 3월 28일 (제2012-000066호)
주소 경기도 고양시 덕양구 화중로130번길 14(아성프라자 601호)
전화 070)4685-5799 **팩스** 0303)0949-5799 **전자우편** gliderbooks@hanmail.net
블로그 http://gliderbook.blog.me/
ISBN 979-11-86510-70-4 43810

이 도서는 한국출판문화산업진흥원의 출판콘텐츠 창작 자금 지원 사업의 일환으로
국민체육진흥기금을 지원받아 제작되었습니다.

책값은 뒤표지에 있습니다.
잘못된 책은 바꾸어 드립니다.

이 도서의 국립중앙도서관 출판예정도서목록(CIP)은 서지정보유통지원시스템
홈페이지(http://seoji.nl.go.kr)와 국가자료공동목록시스템(http://www.nl.go.kr/
kolisnet)에서 이용하실 수 있습니다.(CIP제어번호: CIP2018029406)

글라이더는 존재하는 모든 것에 사랑과 희망을 함께 나누는 따뜻한 세상을 지향합니다.